Longman

Vocabulary MENTOR JOY

1

ongman
ocabulary MENTOR JOY 1

이 | 교재개발연구소
처 | Pearson Education South Asia Pte Ltd.
| inkedu(inkbooks)

)2-455-9620(주문 및 고객지원)
2-455-9619
13-579호

-88228-17-1

처에서 바꿔 드립니다.

Longman

Vocabulary MENTOR JOY

Phonics Words

1

Vocabulary

최신개정판 MENTOR JOY

Vocabulary MENTOR JOY 최신개정판 시리즈는 총 3권으로 구성되어 있으며, 각 권당 400단어로 총 1,200단어를 학습할 수 있습니다.

Book 1 Phonics Words

- 첫소리, 단모음, 장모음 등 소리에 따른 단어 구성
- 그림 제시를 통한 인지적 단어 학습
- 친절한 발음 설명을 통한 소리 학습
- 생생한 문장을 통한 자연스런 단어 학습

Book 2 Daily Words

- 일상생활과 연계된 주제별 단어로 구성
- 콜로케이션을 통한 실용적 단어 학습
- 단어, 콜로케이션에서 문장까지 확장 학습
- 문제풀이를 통한 자연스런 단어 학습

Book 3 Social Words

- 사회생활과 연계된 인문, 과학 등의 주제별 단어로 구성
- 콜로케이션을 통한 실용적 단어 학습
- 단어, 콜로케이션에서 문장까지 확장 학습
- 문제풀이를 통한 자연스런 단어 학습

영어발음기호표

영어를 시작하는 데 있어서 가장 기본은 영어 읽기입니다. 하지만 한글과 달리 영어는 소리와 철자가 완전히 일치하지 않기 때문에 단어를 올바르게 읽기가 쉽지 않습니다. 그래서 영단어의 소리를 제대로 표기한 발음기호표가 필요합니다. 『Vocabulary MENTOR JOY』에 첨부된 발음기호표를 통해 차근차근 영어의 발음기호를 읽는 법을 익히다 보면 영어 학습의 초석을 단단하게 다질 수 있을 것입니다.

모음

구분	[a]	[e]	[i]	[o]	[u]	[ə]	[ʌ]	[ɔ]	[ɛ]	[æ]
소리	아	에	이	오	우	어	어	오	에	애
기호	ㅏ	ㅔ	ㅣ	ㅗ	ㅜ	ㅓ	ㅓ	ㅗ	ㅔ	ㅐ

자음

1. 유성자음(16개)

구분	[b]	[d]	[j]	[l]	[m]	[n]	[r]	[v]	[z]	[dʒ]	[ʒ]	[tz]	[ð]	[h]	[g]	[ŋ]
소리	버	드	이	러	므	느	르	브	즈	쥐	지	쯔	뜨	흐	그	응
기호	ㅂ	ㄷ	ㅣ	ㄹ	ㅁ	ㄴ	ㄹ	ㅂ	ㅈ	주	ㅈ	ㅉ	ㄸ	ㅎ	ㄱ	ㅇ

2. 무성자음(10개)

구분	[f]	[k]	[p]	[s]	[t]	[ʃ]	[tʃ]	[θ]	[t]	[ŋ]
소리	프	크	퍼	스	트	쉬	취	쓰	츠	응
기호	ㅍ	ㅋ	ㅍ	ㅅ	ㅌ	수	추	ㅆ	ㅊ	ㅇ

How to Use This Book

파닉스 단어 400개를 학습할 수 있도록, 그림을 통한 단어 소개와 써보기, 문제풀이 등으로 구성되어 있습니다. 또한 스스로 복습할 수 있도록 워크북을 함께 제공하고 있습니다.

MENTOR JOY 1
UNIT 01 b_ and p_

01 가방을 싸고 있다. bag [bæg] 가방
02 공놀이를 하고 있다. ball [bɔːl] 공
03 검은 곰이다. bear [bɛər] 곰
04 책을 읽고 있다. book [buk] 책
05 버스가 온다. bus [bʌs] 버스
06 판다는 대나무를 먹는다. panda [pǽndə] 판다
07 배가 즙이 많다. pear [pɛər] 배
08 이름을 펜으로 써라. pen [pen] 펜
09 피아노를 잘 친다. piano [piǽnou] 피아노
10 돼지 한 마리를 키운다. pig [pig] 돼지

12

Step 1

제시된 그림과 생생한 우리말 문장을 통해 단어의 일상적인 쓰임을 자연스럽게 익힐 수 있습니다. 또한 원어민의 발음을 통해서 단어의 정확한 소리를 확인할 수 있습니다.

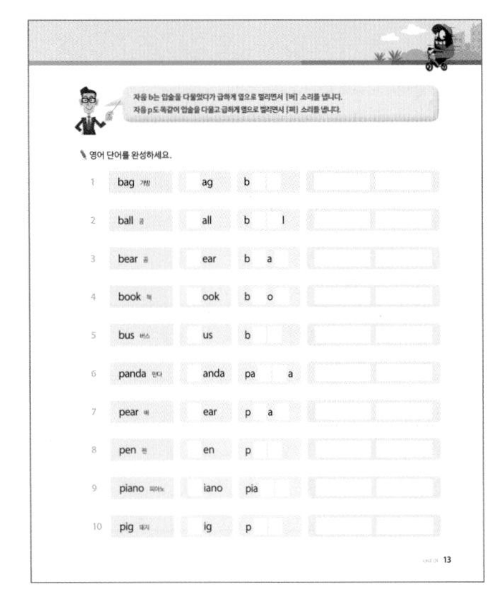

자음 b는 입술을 다물었다가 급하게 옆으로 벌리면서 [ㅂ] 소리를 냅니다.
자음 p도 똑같이 입술을 다물고 급하게 옆으로 벌리면서 [ㅍ] 소리를 냅니다.

영어 단어를 완성하세요.

1	bag 가방	ag	b
2	ball 공	all	b l
3	bear 곰	ear	b a
4	book 책	ook	b o
5	bus 버스	us	b
6	panda 판다	anda	pa a
7	pear 배	ear	p a
8	pen 펜	en	p
9	piano 피아노	iano	pia
10	pig 돼지	ig	p

13

Step 2

친절한 소리 설명을 통해 파닉스 단어의 쓰임과 사용을 체계적으로 이해할 수 있습니다. 또한 학습 단어를 직접 써봄으로써 암기에도 효과적입니다.

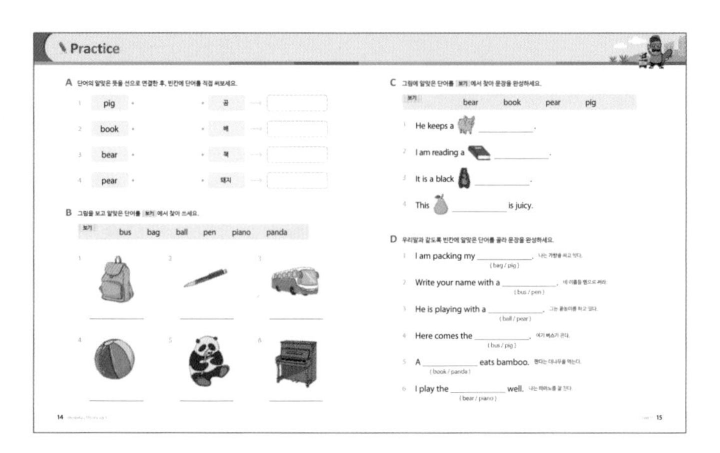

Step 3

각 유닛마다 학습한 단어를 다양한 문제를 통해 활용할 수 있도록 꾸몄습니다. 또한, 문장 안에서 단어의 실제적 활용을 보여줌으로써 단순한 단어학습에 그치지 않고 실용적인 문장 학습까지 가능하게 해 줍니다.

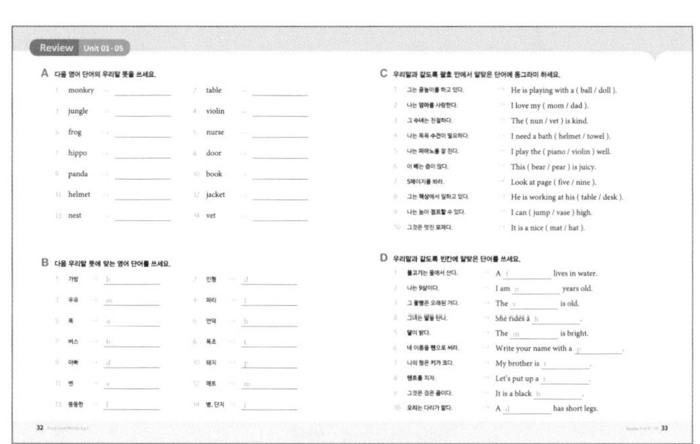

Step 4

유닛 5개가 끝나면 학습한 50개의 단어를 다시 한 번 확인할 수 있도록 리뷰 파트가 제공됩니다. 리뷰를 통해서 단어를 반복 학습할 수 있습니다.

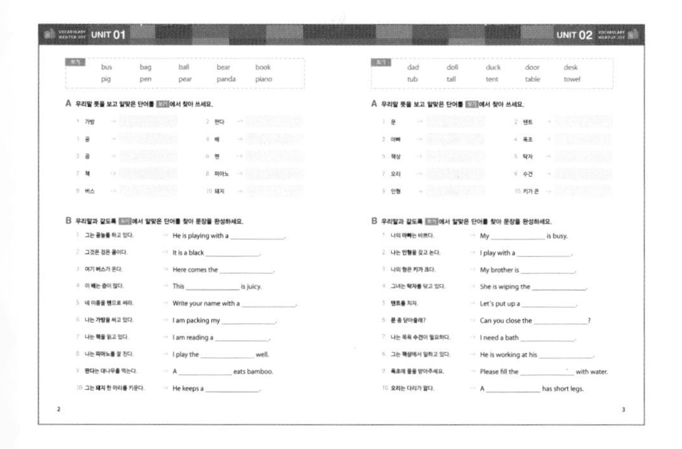

Step 5

제공된 워크북은 학생 스스로 단어를 학습할 수 있도록 구성하였습니다. 수업시간에 배운 단어를 집에서 복습할 수 있습니다.

Syllabus

Vocabulary MENTOR JOY는 총 3권 1,200단어로 구성되어 있습니다

1 학원 또는 학교 방과 후 수업 보조 교재로 사용 시에는 수업 종료 10분 전에 원어민의 발음을 들으면서 10개의 단어씩 학습합니다.

2 가정에서 스스로 학습 시에는 하루 10분 책과 함께 음원을 들으며 큰소리로 따라 읽으며 학습하고, 자기 전에 하루 10단어씩 복습합니다.

3 학원에서 보카 교재로 사용 시(주 3회 수업), 저학년의 경우에는 하루 1개 유닛씩(권당 3개월 소요), 고학년의 경우에는 하루 2개 유닛씩(권당 2개월 소요) 학습합니다.

각 권의 학습 내용

Unit	Book 1	Book 2	Book 3
1	b_ and p_	Body 인체	School 학교
2	d_ and t_	Family 가족	Subjects 과목
3	f_ and v_	Friends 친구	Tests 시험
4	m_ and n_	Personality 성격	Homework 숙제
5	h_ and j_	Appearance 외모	Supplies 소모품
6	s_ and z_	Emotions 감정	Vacations 방학
7	l_ and r_	Senses 감각	Field Trips 현장학습
8	w_ and y_	Health 건강	Field Days 체육대회
9	k_, _x and qu_	Physiology 생리현상	School Events 학교행사
10	hard and soft c_	House Things 집안 물건	Campus Cleanup 교내미화
11	hard and soft g_	Kitchen Things 주방 물건	Performances 공연
12	short _a_	Descriptions 사물 묘사	Special Days 특별한 날
13	short _e_	Shapes 모양	Jobs 직업
14	short _i_	Numbers & Quantities 수와 양	Places 장소
15	short _o_	Positions 위치	Cities & Nations 도시와 나라

Unit	Book 1	Book 2	Book 3
16	short _u_	Time 시간	World 세계
17	long _a_	Calculations 계산	Marriage 결혼
18	long _i_	Calendar 달력	Environment 환경
19	long _o_	Clothes 의류	Disasters 재해
20	long _u_	Food 음식	Religion 종교
21	_ea_ and _ee(_)	Cooking 요리	Animals 동물
22	_ai_ and _ay	Meals 식사	Plants 식물
23	_oa_ and _ow(_)	Snacks 간식	Insects 곤충
24	_ou_ and _ow(_)	Food Shopping 장보기	Weather 날씨
25	_oi_ and _oy	Eating Out 외식	Traffic 교통
26	long and short _oo_	Fashion 패션	Vehicles 탈것
27	_ue and _ui_	Housing 주거	Technology 기술
28	_er, _ir_ and _ur_	Sport 운동	Earth & Universe 지구와 우주
29	_ar_ and _or_	Hobby 취미	Restaurants 식당
30	l blend - bl_, cl_, fl_	Shopping 쇼핑	Postal Service 우편서비스
31	l blend - gl_, pl_, sl_	Traveling 여행	Security 보안, 안전
32	r blend - br_, cr_, fr_	Visiting 방문	Museums 박물관
33	r blend - dr_, pr_, tr_	Party 파티	Health Care 의료서비스
34	s blend - sk_, sm_, sn_	Media 미디어	Movies 영화
35	s blend - sp_, st_, sw_	Computer 컴퓨터	Politics 정치
36	ending blend - _nd, _nt	Ordinals 서수	Crime 범죄
37	ending blend - _ng, _nk	Functional Words 기능어	Economy 경제
38	ch_ and sh_	Directions 방향	Prepositions 전치사
39	ph_, th_ and wh_	Antonyms 반의어	Antonyms 반의어
40	silent syllable	Month 월	Verb Phrases 동사구

Contents

b_ and p_

01

가방을 싸고 있다.

bag

[bæg]

가방

02

공놀이를 하고 있다.

ball

[bɔːl]

공

03

검은 곰이다.

bear

[bɛər]

곰

04

책을 읽고 있다.

book

[buk]

책

05

버스가 온다.

bus

[bʌs]

버스

06

판다는 대나무를 먹는다.

panda

[pǽndə]

판다

07

배가 즙이 많다.

pear

[pɛər]

배

08

이름을 펜으로 써라.

pen

[pen]

펜

09

피아노를 잘 친다.

piano

[piænou]

피아노

10

돼지 한 마리를 키운다.

pig

[pig]

돼지

자음 b는 입술을 다물었다가 급하게 옆으로 벌리면서 [버] 소리를 냅니다.
자음 p도 똑같이 입술을 다물고 급하게 옆으로 벌리면서 [퍼] 소리를 냅니다.

영어 단어를 완성하세요.

1	bag 가방	ag	b	
2	ball 공	all	b l	
3	bear 곰	ear	b a	
4	book 책	ook	b o	
5	bus 버스	us	b	
6	panda 판다	anda	pa a	
7	pear 배	ear	p a	
8	pen 펜	en	p	
9	piano 피아노	iano	pia	
10	pig 돼지	ig	p	

Practice

A 단어의 알맞은 뜻을 선으로 연결한 후, 빈칸에 단어를 직접 써보세요.

1	pig •	• 곰	→
2	book •	• 배	→
3	bear •	• 책	→
4	pear •	• 돼지	→

B 그림을 보고 알맞은 단어를 보기 에서 찾아 쓰세요.

보기 bus bag ball pen piano panda

1 ____________

2 ____________

3 ____________

4 ____________

5 ____________

6 ____________

C 그림에 알맞은 단어를 보기 에서 찾아 문장을 완성하세요.

보기	bear	book	pear	pig

1 He keeps a ______________ .

2 I am reading a ______________ .

3 It is a black ______________ .

4 This ______________ is juicy.

D 우리말과 같도록 빈칸에 알맞은 단어를 골라 문장을 완성하세요.

1 I am packing my ______________ . 나는 **가방**을 싸고 있다.
(bag / pig)

2 Write your name with a ______________ . 네 이름을 **펜**으로 써라.
(bus / pen)

3 He is playing with a ______________ . 그는 **공**놀이를 하고 있다.
(ball / pear)

4 Here comes the ______________ . 여기 **버스**가 온다.
(bus / pig)

5 A ______________ eats bamboo. **판다**는 대나무를 먹는다.
(book / panda)

6 I play the ______________ well. 나는 **피아노**를 잘 친다.
(bear / piano)

d_ and t_

01

아빠는 바쁘다.

dad

[dæd]

아빠

02

책상에서 일하고 있다.

desk

[desk]

책상

03

인형을 갖고 논다.

doll

[dɑl]

인형

04

문 좀 닫아줄래?

door

[dɔːr]

문

05

오리는 다리가 짧다.

duck

[dʌk]

오리

06

탁자를 닦고 있다.

table

[téibl]

탁자

07

형은 키가 크다.

tall

[tɔːl]

키가 큰

08

텐트를 치자.

tent

[tent]

텐트

09

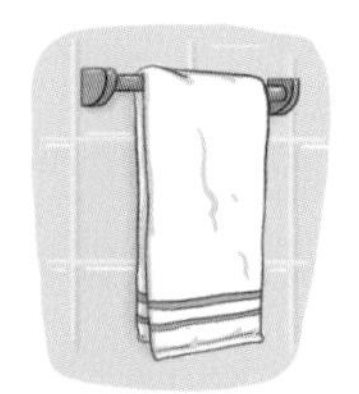

목욕 수건이 필요하다.

towel

[táuəl]

수건

10

욕조에 물을 받아주세요.

tub

[tʌb]

욕조

자음 d는 혀를 윗니 안쪽에 대다가 입술을 좌우로 벌리고 혀를 떼면서 짧게 [드] 소리를 냅니다.
자음 t는 혀끝을 윗니 끝에 대다가 입술을 좌우로 벌리고 혀를 떼면서 짧게 [트] 소리를 냅니다.

영어 단어를 완성하세요.

1	dad 아빠	ad	d	
2	desk 책상	esk	de	
3	doll 인형	oll	d l	
4	door 문	oor	d r	
5	duck 오리	uck	d c	
6	table 탁자	able	ta e	
7	tall 키가 큰	all	t l	
8	tent 텐트	ent	t t	
9	towel 수건	owel	to e	
10	tub 욕조	ub	t	

Practice

A 단어의 알맞은 뜻을 선으로 연결한 후, 빈칸에 단어를 직접 써보세요.

1	duck	책상	→	
2	tent	수건	→	
3	desk	오리	→	
4	towel	텐트	→	

B 그림을 보고 알맞은 단어를 보기 에서 찾아 쓰세요.

보기 tub dad doll door tall table

1 ______________

2 ______________

3 ______________

4

____

5

____

6

____

C 그림에 알맞은 단어를 보기 에서 찾아 문장을 완성하세요.

보기

desk duck tent towel

1 I need a bath ______________.

2 Let's put up a ______________.

3 He is working at his ______________.

4 A ______________ has short legs.

D 우리말과 같도록 빈칸에 알맞은 단어를 골라 문장을 완성하세요.

1 My ______________ is busy. 나의 **아빠**는 바쁘다.
(dad / tub)

2 My brother is ______________. 나의 형은 **키가 크**다.
(duck / tall)

3 I play with a ______________. 나는 **인형**을 갖고 논다.
(doll / towel)

4 She is wiping the ______________. 그녀는 **탁자**를 닦고 있다.
(desk / table)

5 Can you close the ______________? 네가 **문** 좀 닫아줄래?
(door / tent)

6 Please fill the ______________ with water. **욕조**에 물을 받아주세요.
(dad / tub)

f_ and v_

01

고모는 뚱뚱하다.

fat

[fæt]

뚱뚱한

02

물고기는 물에서 산다.

fish

[fiʃ]

물고기

03

5페이지를 봐라.

five

[faiv]

5, 다섯

04

파리가 윙윙거린다.

fly

[flai]

파리

05

개구리는 겨울잠을 잔다.

frog

[frɔːg]

개구리

06

톰은 벤 안에 있다.

van

[væn]

벤

07

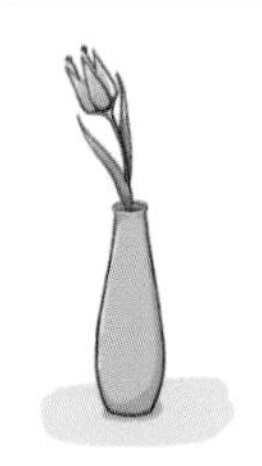

꽃병은 오래된 거다.

vase

[veis]

꽃병

08

조끼를 입고 있다.

vest

[vest]

조끼

09

아버지는 수의사다.

vet

[vet]

수의사

10

바이올린을 할 수 있다.

violin

[vàiəlín]

바이올린

자음 f는 윗니로 아랫입술 안쪽을 물었다가 세게 떼면서 터트리듯이 [프] 소리를 냅니다. 정확히 우리말의 [프]와 [흐] 중간 소리입니다. 자음 v도 아랫입술 안쪽을 물었다가 떼면서 [브] 소리를 냅니다. 우리말의 [브]와 비슷하지만 윗니로 아랫입술을 물었다가 빼내면서 발음하는 점이 다릅니다.

영어 단어를 완성하세요.

1	fat 뚱뚱한	at	f	
2	fish 물고기	ish	f h	
3	five 5, 다섯	ive	fi	
4	fly 파리	ly	f	
5	frog 개구리	rog	f g	
6	van 벤	an	v	
7	vase 꽃병	ase	v e	
8	vest 조끼	est	ve	
9	vet 수의사	et	v	
10	violin 바이올린	iolin	vi li	

Practice

A 단어의 알맞은 뜻을 선으로 연결한 후, 빈칸에 단어를 직접 써보세요.

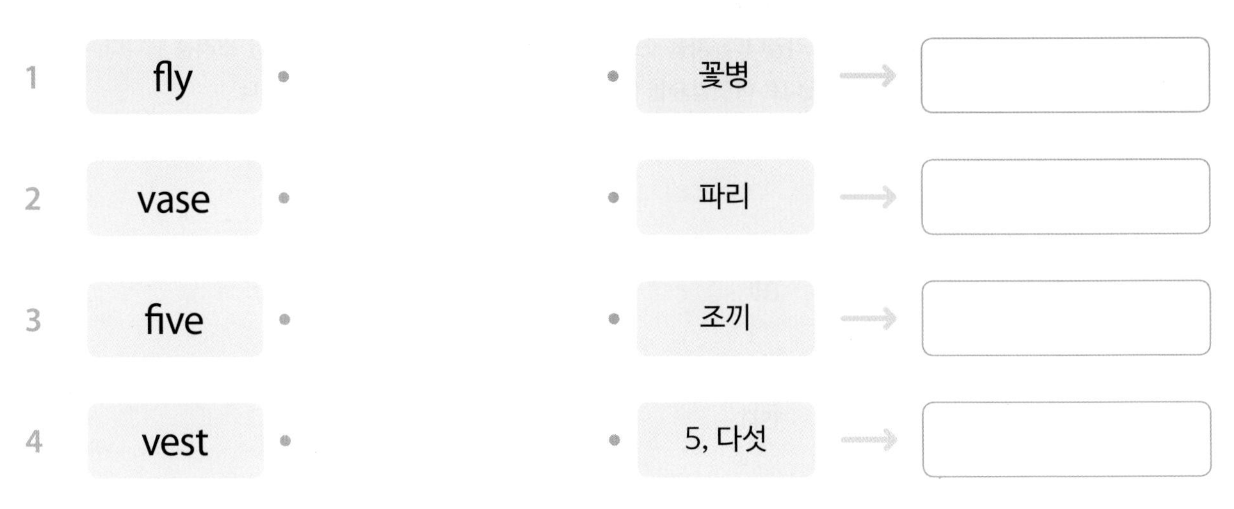

1	fly	꽃병	→	
2	vase	파리	→	
3	five	조끼	→	
4	vest	5, 다섯	→	

B 그림을 보고 알맞은 단어를 보기 에서 찾아 쓰세요.

보기 van fat vet fish frog violin

1 ____________

2 ____________

3 ____________

4 ____________

5 ____________

6 ____________

C 그림에 알맞은 단어를 보기 에서 찾아 문장을 완성하세요.

보기	vest	five	vase	fly

1 The ______________ is buzzing.

2 The ______________ is old.

3 Look at page 5 ______________.

4 I am wearing a ______________.

D 우리말과 같도록 빈칸에 알맞은 단어를 골라 문장을 완성하세요.

1 My aunt is ______________. 나의 고모는 **뚱뚱하**다.
(fat / van)

2 My father is a ______________. 나의 아버지는 **수의사**다.
(fly / vet)

3 A ______________ lives in water. **물고기**는 물에서 산다.
(fish / vase)

4 Tom is in the ______________. Tom은 **벤** 안에 있다.
(fly / van)

5 A ______________ sleeps in winter. **개구리**는 겨울잠을 잔다.
(frog / vest)

6 I can play the ______________. 나는 **바이올린**을 할 수 있다.
(five / violin)

m_ and n_

01

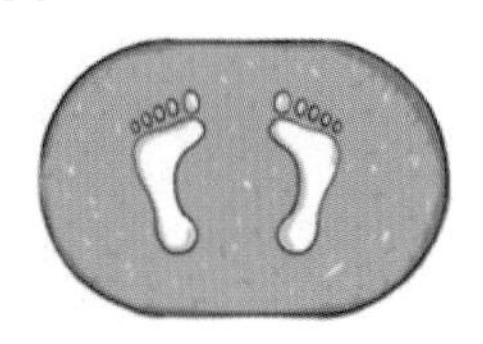

발을 매트에 닦아라.

mat

[mæt]

매트

02

우유 한 잔을 마신다.

milk

[milk]

우유

03

엄마를 사랑한다.

mom

[mɑm]

엄마

04

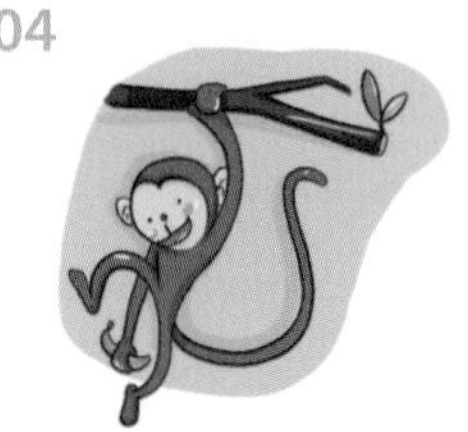

원숭이는 나무를 잘 탄다.

monkey

[mʌ́ŋki]

원숭이

05

달이 밝다.

moon

[mu:n]

달

06

목이 굵다.

neck

[nek]

목

07

새가 둥지를 틀고 있다.

nest

[nest]

둥지

08

9살이다.

nine

[nain]

9, 아홉

09

수녀는 친절하다.

nun

[nʌn]

수녀

10

어머니는 간호사다.

nurse

[nə:rs]

간호사

자음 m은 입술을 다물었다가 급하게 옆으로 넓게 벌리면서 [므] 소리를 퍼지듯이 짧게 냅니다.
자음 n은 윗니와 아랫니로 혀끝을 조금 물고 있다가 입술을 좌우로 벌리고 물었던 혀를 떼면서 짧게 내뱉듯이 [느] 소리를 냅니다.

영어 단어를 완성하세요.

1	mat 매트	_at	m__	
2	milk 우유	_ilk	m_l_	
3	mom 엄마	_om	m__	
4	monkey 원숭이	_onkey	mo__ey	
5	moon 달	_oon	mo__	
6	neck 목	_eck	n__k	
7	nest 둥지	_est	ne__	
8	nine 9, 아홉	_ine	n__e	
9	nun 수녀	_un	n__	
10	nurse 간호사	_urse	nu__e	

Practice

A 단어의 알맞은 뜻을 선으로 연결한 후, 빈칸에 단어를 직접 써보세요.

1	mat	달	→	
2	nine	둥지	→	
3	nest	매트	→	
4	moon	9, 아홉	→	

B 그림을 보고 알맞은 단어를 보기 에서 찾아 쓰세요.

보기 nun mom milk neck nurse monkey

1 ____________

2 ____________

3 ____________

4 ____________

milk

5 ____________

6 ____________

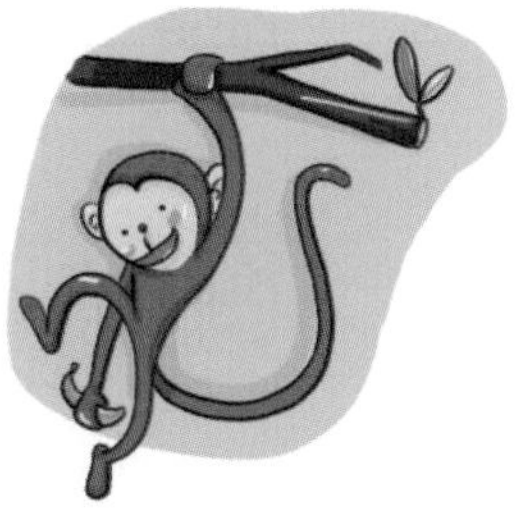

C 그림에 알맞은 단어를 보기 에서 찾아 문장을 완성하세요.

보기	mat	nest	nine	moon

1 The ______________ is bright.

2 I am ______________ years old.

3 Wipe your feet on the ______________.

4 The bird is building a ______________.

D 우리말과 같도록 빈칸에 알맞은 단어를 골라 문장을 완성하세요.

1 The ______________ is kind. 그 **수녀**는 친절하다.
(mat / nun)

2 He has a thick ______________. 그는 **목**이 굵다.
(moon / neck)

3 I love my ______________. 나는 **엄마**를 사랑한다.
(mom / nine)

4 A ______________ climbs trees well. **원숭이**는 나무를 잘 탄다.
(monkey / nurse)

5 My mother is a ______________. 나의 어머니는 **간호사**다.
(monkey / nurse)

6 I drink a glass of ______________. 나는 **우유** 한 잔을 마신다.
(milk / nest)

h_ and j_

01

멋진 모자다.

hat

[hæt]

모자

02

헬멧을 써라.

helmet

[hélmit]

헬멧

03

학교는 언덕 위에 있다.

hill

[hil]

언덕

04

하마는 입이 크다.

hippo

[hípou]

하마

05

말을 탄다.

horse

[hɔːrs]

말

06

재킷이 마음에 든다.

jacket

[dʒǽkit]

재킷

07

병은 비어 있다.

jar

[dʒɑːr]

병, 단지

08

제트기는 하늘을 날고 있다.

jet

[dʒet]

제트기

09

높이 점프할 수 있다.

jump

[dʒʌmp]

점프하다

10

타잔은 정글에 산다.

jungle

[dʒʌ́ŋgl]

정글, 밀림

자음 h는 아랫입술의 좌우를 아래로 끌어내리면서 최대한 사각형을 만든 상태에서 윗입술을 움직이지 않고 [흐] 소리를 냅니다. 자음 j는 [dʒ] 소리로, 입술을 모아서 앞으로 내민 상태에서 [쥐] 소리를 냅니다.

영어 단어를 완성하세요.

1	hat 모자	at	h	
2	helmet 헬멧	elmet	hel e	
3	hill 언덕	ill	h l	
4	hippo 하마	ippo	hip	
5	horse 말	orse	h r e	
6	jacket 재킷	acket	jac e	
7	jar 병, 단지	ar	j	
8	jet 제트기	et	j	
9	jump 점프하다	ump	ju	
10	jungle 정글, 밀림	ungle	jun e	

Practice

A 단어의 알맞은 뜻을 선으로 연결한 후, 빈칸에 단어를 직접 써보세요.

1	hat	언덕	→
2	jet	모자	→
3	hill	재킷	→
4	jacket	제트기	→

B 그림을 보고 알맞은 단어를 보기 에서 찾아 쓰세요.

보기 jar jump hippo horse jungle helmet

1 ____________

2 ____________

3 ____________

4 ____________

5 ____________

6 ____________

C 그림에 알맞은 단어를 보기 에서 찾아 문장을 완성하세요.

보기	jet	hat	hill	jacket

1 It is a nice ______________.

2 The ______________ is flying in the sky.

3 Our school is on the ______________.

4 I like this ______________.

D 우리말과 같도록 빈칸에 알맞은 단어를 골라 문장을 완성하세요.

1 She rides a ______________. 그녀는 **말**을 탄다.
(horse / jungle)

2 I can ______________ high. 나는 높이 **점프할** 수 있다.
(hill / jump)

3 Put on a ______________. **헬멧**을 써라.
(helmet / jacket)

4 The ______________ is empty. 그 **병**은 비어 있다.
(hat / jar)

5 Tarzan lives in the ______________. 타잔은 **정글**에 산다.
(helmet / jungle)

6 A ______________ has a large mouth. **하마**는 입이 크다.
(hippo / jet)

Review Unit 01 - 05

A 다음 영어 단어의 우리말 뜻을 쓰세요.

1 monkey → ________

2 table → ________

3 jungle → ________

4 violin → ________

5 frog → ________

6 nurse → ________

7 hippo → ________

8 door → ________

9 panda → ________

10 book → ________

11 helmet → ________

12 jacket → ________

13 nest → ________

14 vet → ________

B 다음 우리말 뜻에 맞는 영어 단어를 쓰세요.

1 가방 → b________

2 인형 → d________

3 우유 → m________

4 파리 → f________

5 목 → n________

6 언덕 → h________

7 버스 → b________

8 욕조 → t________

9 아빠 → d________

10 돼지 → p________

11 벤 → v________

12 매트 → m________

13 뚱뚱한 → f________

14 병, 단지 → j________

C 우리말과 같도록 괄호 안에서 알맞은 단어에 동그라미 하세요.

1 그는 **공**놀이를 하고 있다. → He is playing with a (ball / doll).

2 나는 **엄마**를 사랑한다. → I love my (mom / dad).

3 그 **수녀**는 친절하다. → The (nun / vet) is kind.

4 나는 목욕 **수건**이 필요하다. → I need a bath (helmet / towel).

5 나는 **피아노**를 잘 친다. → I play the (piano / violin) well.

6 이 **배**는 즙이 많다. → This (bear / pear) is juicy.

7 **5**페이지를 봐라. → Look at page (five / nine).

8 그는 **책상**에서 일하고 있다. → He is working at his (table / desk).

9 나는 높이 **점프할** 수 있다. → I can (jump / vase) high.

10 그것은 멋진 **모자**다. → It is a nice (mat / hat).

D 우리말과 같도록 빈칸에 알맞은 단어를 쓰세요.

1 **물고기**는 물에서 산다. → A f________ lives in water.

2 나는 **9**살이다. → I am n________ years old.

3 그 **꽃병**은 오래된 거다. → The v________ is old.

4 그녀는 **말**을 탄다. → She rides a h________.

5 **달**이 밝다. → The m________ is bright.

6 네 이름을 **펜**으로 써라. → Write your name with a p________.

7 나의 형은 **키가 크**다. → My brother is t________.

8 **텐트**를 치자. → Let's put up a t________.

9 그것은 검은 **곰**이다. → It is a black b________.

10 **오리**는 다리가 짧다. → A d________ has short legs.

S_ and Z_

01

바다로 가자.

sea

[siː]

바다

02

5 더하기 1은 6이다.

six

[siks]

6, 여섯

03

하늘에 무지개가 떴다.

sky

[skai]

하늘

04

소파에 앉아 있다.

sofa

[sóufə]

소파

05

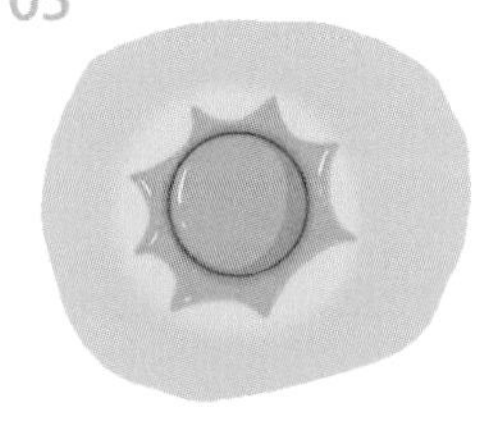

해가 빛나고 있다.

sun

[sʌn]

해, 태양

06

얼룩말은 풀을 먹는다.

zebra

[zíːbrə]

얼룩말

07

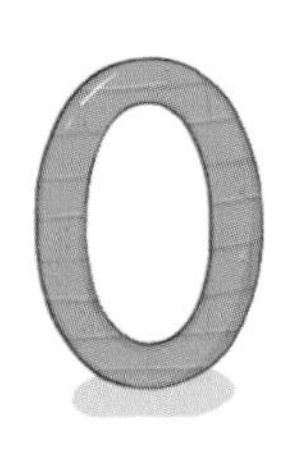

숫자 0을 쓰고 있다.

zero

[zí(ː)ərou]

0, 영

08

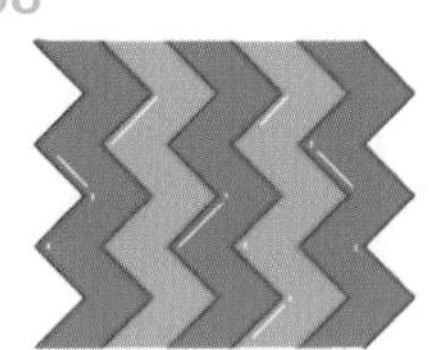

지그재그로 걷지 마라.

zigzag

[zígzæ̀g]

지그재그

09

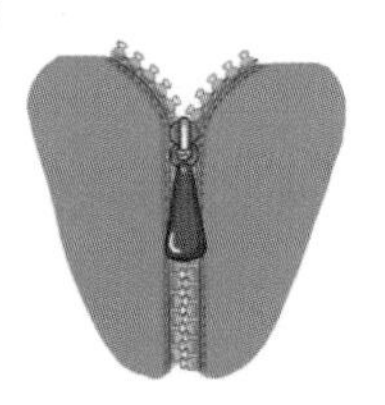

지퍼를 채워라.

zipper

[zípər]

지퍼

10

매주 동물원에 간다.

zoo

[zuː]

동물원

자음 s는 입술을 옆으로 최대한 벌린 형태를 유지하면서 [스] 소리를 냅니다.
자음 z도 입술을 옆으로 최대한 벌린 형태를 유지하며 [즈] 소리를 냅니다.

영어 단어를 완성하세요.

1	sea 바다	ea	s	
2	six 6, 여섯	ix	s	
3	sky 하늘	ky	s	
4	sofa 소파	ofa	s a	
5	sun 해, 태양	un	s	
6	zebra 얼룩말	ebra	ze a	
7	zero 0, 영	ero	ze	
8	zigzag 지그재그	igzag	z g ag	
9	zipper 지퍼	ipper	z per	
10	zoo 동물원	oo	z	

Practice

A 단어의 알맞은 뜻을 선으로 연결한 후, 빈칸에 단어를 직접 써보세요.

	단어		뜻		
1	six	•	• 0, 영	→	
2	sun	•	• 6, 여섯	→	
3	zero	•	• 지그재그	→	
4	zigzag	•	• 해, 태양	→	

B 그림을 보고 알맞은 단어를 보기 에서 찾아 쓰세요.

보기 sky zoo sofa sea zebra zipper

1 ____________

2 ____________

3 ____________

4 ____________

5 ____________

6 ____________

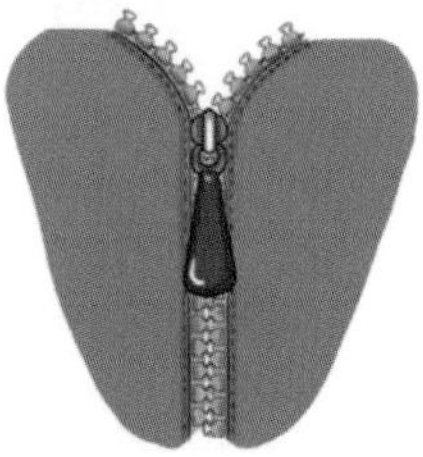

C 그림에 알맞은 단어를 보기 에서 찾아 문장을 완성하세요.

보기	sun	six	zero	zigzag

1 The ______________ is shining.

2 Five plus one is ______________.

3 Don't walk in a ______________.

4 He is writing the number ______________.

D 우리말과 같도록 빈칸에 알맞은 단어를 골라 문장을 완성하세요.

1 We go to the ______________ every week. 우리는 매주 **동물원**에 간다.
(sun / zoo)

2 Let's go to the ______________. **바다**로 가자.
(sea / zoo)

3 A rainbow hangs in the ______________. **하늘**에 무지개가 떴다.
(sky / zero)

4 A ______________ eats grass. **얼룩말**은 풀을 먹는다.
(sea / zebra)

5 Mom is sitting on the ______________. 엄마는 **소파**에 앉아 있다.
(sofa / zigzag)

6 Close the ______________. **지퍼**를 채워라.
(six / zipper)

l_ and r_

01

램프를 켜라.

lamp

[læmp]

램프, 등

02

레몬차를 좋아한다.

lemon

[lémən]

레몬

03

편지를 쓰고 있다.

letter

[létər]

편지

04

백합을 꽃병에 꽂아라.

lily

[líli]

백합(꽃)

05

종이에 선을 그어라.

line

[lain]

선, 줄

06

토끼는 귀가 길다.

rabbit

[rǽbit]

토끼

07

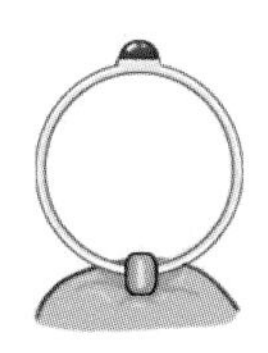

반지가 아주 멋지다.

ring

[riŋ]

반지

08

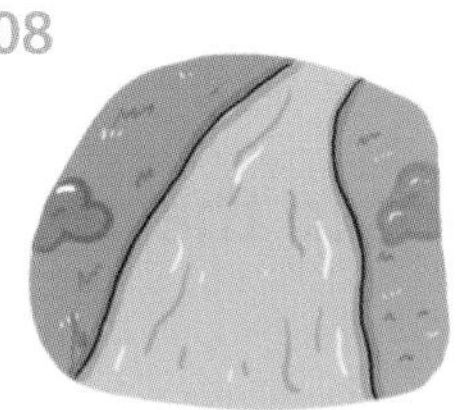

강을 건너고 있다.

river

[rivər]

강

09

장난감 로봇이 있다.

robot

[róubət]

로봇

10

자 좀 써도 되니?

ruler

[rú:lər]

자

자음 l은 혀끝으로 입천장을 누르면서 [러] 소리를 내는데, 이때 혀는 입안 중간에 위치합니다. 자음 r은 혀끝을 입천장에 대지 않고 목구멍 쪽으로 말아 올리면서 [르] 소리를 내며 입술을 타원형으로 만듭니다.

영어 단어를 완성하세요.

1	lamp 램프, 등	amp	la	
2	lemon 레몬	emon	le o	
3	letter 편지	etter	le te	
4	lily 백합(꽃)	ily	l y	
5	line 선, 줄	ine	l e	
6	rabbit 토끼	abbit	ra b t	
7	ring 반지	ing	r n	
8	river 강	iver	r ve	
9	robot 로봇	obot	r ot	
10	ruler 자	uler	ru e	

Practice

A 단어의 알맞은 뜻을 선으로 연결한 후, 빈칸에 단어를 직접 써보세요.

1	ring	자	→	
2	line	반지	→	
3	ruler	레몬	→	
4	lemon	선, 줄	→	

B 그림을 보고 알맞은 단어를 보기 에서 찾아 쓰세요.

보기 rabbit robot river lily lamp letter

1 ______________

2 ______________

3 ______________

4 ______________

5 ______________

6 ______________

C 그림에 알맞은 단어를 보기 에서 찾아 문장을 완성하세요.

보기	line	ring	ruler	lemon

1 Draw a ______________ on the paper.

2 This ______________ is wonderful.

3 Can I use your ______________?

4 I like ______________ tea.

D 우리말과 같도록 빈칸에 알맞은 단어를 골라 문장을 완성하세요.

1 Turn on the ______________. **램프**를 켜라.
(lamp / ring)

2 I have a toy ______________. 나는 장난감 **로봇**이 있다.
(line / robot)

3 He is writing a ______________. 그는 **편지**를 쓰고 있다.
(letter / ruler)

4 A ______________ has long ears. **토끼**는 귀가 길다.
(lemon / rabbit)

5 She is crossing the ______________. 그녀는 **강**을 건너고 있다.
(letter / river)

6 Put a ______________ in a vase. **백합**을 꽃병에 꽂아라.
(lily / ring)

W_ and Y_

01

시계가 느리다.

watch

[wɑtʃ]

시계

02

물을 많이 마신다.

water

[wɔ́ːtər]

물

03

창문 밖을 보고 있다.

window

[wíndou]

창문

04

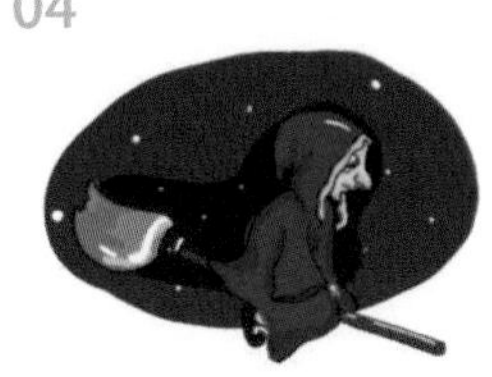

마녀가 못생겼다.

witch

[witʃ]

마녀

05

늑대 소리 같다.

wolf

[wulf]

늑대

06

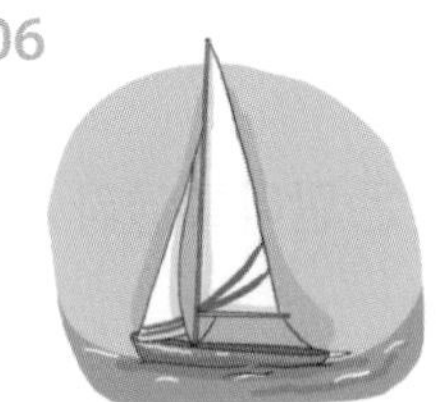

요트를 타고 항해한다.

yacht

[jɑt]

요트

07

사람은 왜 하품을 할까?

yawn

[jɔːn]

하품하다

08

소리지르지 마라.

yell

[jel]

소리치다

09

비옷은 노란색이다.

yellow

[jélou]

노란(색)

10

요구르트를 매일 먹는다.

yogurt

[jóugərt]

요구르트

자음 w는 입술을 작고 둥글게 내밀면서 혀의 뒷부분은 잡아당기며 [우]와 비슷한 소리를 냅니다. 자음 y는 [j] 소리로, 입술을 양쪽으로 당겨서 혀끝이 아랫니 뒤쪽에 거의 닿게 [이]와 비슷한 소리를 냅니다.

영어 단어를 완성하세요.

1	watch 시계	atch	wa c	
2	water 물	ater	wa e	
3	window 창문	indow	w dow	
4	witch 마녀	itch	w t h	
5	wolf 늑대	olf	w l	
6	yacht 요트	acht	y ch	
7	yawn 하품하다	awn	ya	
8	yell 소리치다	ell	y l	
9	yellow 노란(색)	ellow	yell	
10	yogurt 요구르트	ogurt	y urt	

Practice

A 단어의 알맞은 뜻을 선으로 연결한 후, 빈칸에 단어를 직접 써보세요.

1	watch	물	→
2	yacht	시계	→
3	water	요트	→
4	yellow	노란(색)	→

B 그림을 보고 알맞은 단어를 보기 에서 찾아 쓰세요.

보기

yell wolf yawn witch yogurt window

1 ______ 2 ______ 3 ______

4 ______ 5 ______ 6 ______

C 그림에 알맞은 단어를 보기 에서 찾아 문장을 완성하세요.

보기			
water	watch	yacht	yellow

1 My ______ is slow.

2 I drink lots of ______.

3 He sails on a ______.

4 My raincoat is ______.

D 우리말과 같도록 빈칸에 알맞은 단어를 골라 문장을 완성하세요.

1 Don't ______ at me. 나한테 **소리지르지** 마라.
(water / yell)

2 The ______ is ugly. 그 **마녀**는 못생겼다.
(witch / yacht)

3 It sounds like a ______. 그것은 **늑대** 소리 같다.
(wolf / yell)

4 I eat ______ every day. 나는 **요구르트**를 매일 먹는다.
(water / yogurt)

5 He is looking out the ______. 그는 **창문** 밖을 보고 있다.
(window / yellow)

6 Why do people ______? 사람들은 왜 **하품을 할까**?
(watch / yawn)

k_, _x and qu_

01

캥거루가 펄쩍 뛰고 있다.

kangaroo

[kǽŋgərúː]

캥거루

02

열쇠를 갖고 있니?

key

[kiː]

열쇠

03

공을 차지 마라.

kick

[kik]

(발로) 차다

04

위대한 왕이다.

king

[kiŋ]

왕

05

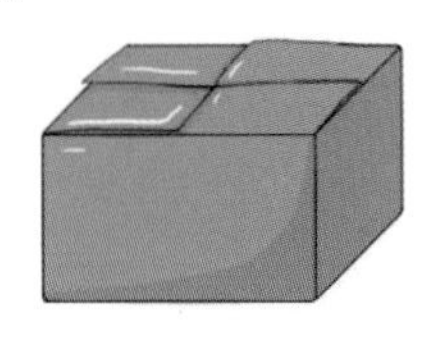

상자 안에 뭐가 들어 있니?

box

[bɑks]

상자

06

우리 안에 여우가 있다.

fox

[fɑks]

여우

07

여왕은 아름답다.

queen

[kwiːn]

여왕

08

조용히 해라.

quiet

[kwáiət]

조용한

09

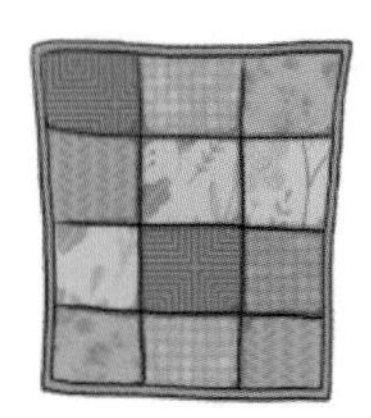

누비이불을 만든다.

quilt

[kwilt]

누비이불, 퀼트

10

퀴즈 게임을 좋아한다.

quiz

[kwiz]

퀴즈, 시험

자음 k는 아랫입술의 좌우를 아래쪽으로 끌어내리면서 사각형으로 만들어 윗입술을 움직이지 않고 [크] 소리를 냅니다. x가 단어 끝에 올 때는 [-ks] 소리로, 우리말의 [-스]와 유사한 발음이 됩니다. 그리고 qu는 [k]와 [w]가 결합한 소리로 우리말의 [쿠]와 비슷하게 소리를 냅니다.

영어 단어를 완성하세요.

1	kangaroo 캥거루	angaroo	kan a oo	
2	key 열쇠	ey	k	
3	kick (발로) 차다	ick	k c	
4	king 왕	ing	k n	
5	box 상자	bo	x	
6	fox 여우	fo	x	
7	queen 여왕	een	qu n	
8	quiet 조용한	iet	qu e	
9	quilt 누비이불, 퀼트	ilt	qui	
10	quiz 퀴즈, 시험	iz	qu	

Practice

A 단어의 알맞은 뜻을 선으로 연결한 후, 빈칸에 단어를 직접 써보세요.

1	box	열쇠	→	
2	key	상자	→	
3	quilt	조용한	→	
4	quiet	누비이불, 퀼트	→	

B 그림을 보고 알맞은 단어를 보기 에서 찾아 쓰세요.

보기 fox kick quiz king queen kangaroo

1 ____________

2 ____________

3 ____________

4 ____________

5 ____________

6 ____________

C 그림에 알맞은 단어를 보기 에서 찾아 문장을 완성하세요.

보기	box	key	quiet	quilt

1 Do you have the ____________?

2 What is inside the ____________?

3 She makes a ____________.

4 Be ____________.

D 우리말과 같도록 빈칸에 알맞은 단어를 골라 문장을 완성하세요.

1 Don't ____________ the ball. 그 공을 **차지** 마라.
(kick / quilt)

2 The ____________ is beautiful. 그 **여왕**은 아름답다.
(king / queen)

3 There is a ____________ in the cage. 그 우리 안에 **여우**가 있다.
(box / fox)

4 The ____________ is jumping around. 그 **캥거루**는 펄쩍 뛰고 있다.
(kangaroo / quiet)

5 He is a great ____________. 그는 위대한 **왕**이다.
(king / queen)

6 I like ____________ games. 나는 **퀴즈** 게임을 좋아한다.
(key / quiz)

hard and soft c_

01

사탕은 엄청 달콤하다.

candy

[kǽndi]

사탕

02

자동차를 운전한다.

car

[kɑːr]

자동차

03

무슨 색이니?

color

[kʌ́lər]

색(깔)

04

컴퓨터게임을 하고 있다.

computer

[kəmpjúːtər]

컴퓨터

05

차 한 잔을 마신다.

cup

[kʌp]

컵, 잔

06

시리얼 한 그릇을 먹는다.

cereal

[síriəl]

시리얼

07

영화관에 가자.

cinema

[sínəmə]

영화관

08

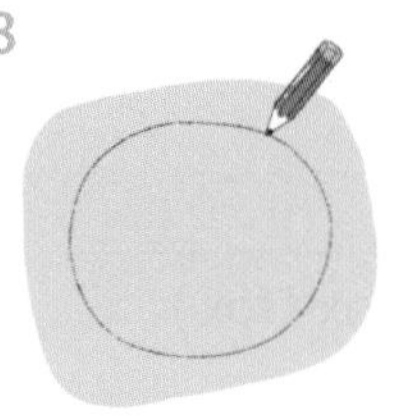

연필로 원을 그려라.

circle

[sə́ːrkl]

원, 동그라미

09

서커스는 몇 시에 시작하니?

circus

[sə́ːrkəs]

서커스

10

런던은 대도시다.

city

[síti]

도시

자음 c는 두 가지 소리가 납니다. candy, car, color, computer, cup에서 c는 [k] 소리, 즉 우리말의 [크] 발음과 유사한 소리가 됩니다. 그러나 cereal, cinema, circle, circus, city에서 c는 [s] 소리, 즉 우리말의 [스] 발음과 유사한 소리가 됩니다.

영어 단어를 완성하세요.

1	candy 사탕	andy	ca y	
2	car 자동차	ar	c	
3	color 색(깔)	olor	co o	
4	computer 컴퓨터	omputer	co uter	
5	cup 컵, 잔	up	c	
6	cereal 시리얼	ereal	ce ea	
7	cinema 영화관	inema	c ne a	
8	circle 원, 동그라미	ircle	c cle	
9	circus 서커스	ircus	cir u	
10	city 도시	ity	c y	

Practice

A 단어의 알맞은 뜻을 선으로 연결한 후, 빈칸에 단어를 직접 써보세요.

1	cup	사탕	→
2	circle	시리얼	→
3	cereal	컵, 잔	→
4	candy	원, 동그라미	→

B 그림을 보고 알맞은 단어를 보기 에서 찾아 쓰세요.

보기
computer color car city circus cinema

1 ______________

2 ______________

3 ______________

4 ______________

5

____

6

____

C 그림에 알맞은 단어를 보기 에서 찾아 문장을 완성하세요.

보기	cup	candy	circle	cereal

1 She drinks a ______________ of tea.

2 I eat a bowl of ______________.

3 This ______________ is very sweet.

4 Draw a ______________ with a pencil.

D 우리말과 같도록 빈칸에 알맞은 단어를 골라 문장을 완성하세요.

1 London is a big ______________. 런던은 대**도시**다.
(cup / city)

2 He drives a ______________. 그는 **자동차**를 운전한다.
(car / city)

3 Let's go to the ______________. **영화관**에 가자.
(candy / cinema)

4 What ______________ is it? 그것은 무슨 **색**이니?
(color / circle)

5 I am playing a ______________ game. 나는 **컴퓨터**게임을 하고 있다.
(computer / cereal)

6 What time does the ______________ start? **서커스**는 몇 시에 시작하니?
(color / circus)

A 다음 영어 단어의 우리말 뜻을 쓰세요.

1 candy → ______________ 2 circus → ______________

3 zigzag → ______________ 4 lily → ______________

5 yacht → ______________ 6 rabbit → ______________

7 lemon → ______________ 8 window → ______________

9 zebra → ______________ 10 witch → ______________

11 queen → ______________ 12 kangaroo → ______________

13 cinema → ______________ 14 computer → ______________

B 다음 우리말 뜻에 맞는 영어 단어를 쓰세요.

1 컵, 잔 → c______________ 2 바다 → s______________

3 상자 → b______________ 4 도시 → c______________

5 동물원 → z______________ 6 반지 → r______________

7 열쇠 → k______________ 8 6, 여섯 → s______________

9 늑대 → w______________ 10 소리치다 → y______________

11 여우 → f______________ 12 선, 줄 → l______________

13 하늘 → s______________ 14 퀴즈, 시험 → q______________

C 우리말과 같도록 괄호 안에서 알맞은 단어에 동그라미 하세요.

1 **조용히** 해라. → Be (quiet / circus).

2 내 **시계**는 느리다. → My (ring / watch) is slow.

3 그는 **편지**를 쓰고 있다. → He is writing a (letter / witch).

4 **지퍼**를 채워라. → Close the (zipper / yacht).

5 내가 네 **자** 좀 써도 되니? → Can I use your (lamp / ruler)?

6 내 비옷은 **노란색**이다. → My raincoat is (yellow / zigzag).

7 나는 **시리얼** 한 그릇을 먹는다. → I eat a bowl of (cereal / quilt).

8 사람들은 왜 **하품을 할까**? → Why do people (sofa / yawn)?

9 나는 **요구르트**를 매일 먹는다. → I eat (water / yogurt) every day.

10 연필로 **원**을 그려라. → Draw a (line / circle) with a pencil.

D 우리말과 같도록 빈칸에 알맞은 단어를 쓰세요.

1 **해**가 빛나고 있다. → The s__________ is shining.

2 **램프**를 켜라. → Turn on the l__________.

3 나는 **물**을 많이 마신다. → I drink lots of w__________.

4 그는 위대한 **왕**이다. → He is a great k__________.

5 그는 **자동차**를 운전한다. → He drives a c__________.

6 엄마는 **소파**에 앉아 있다. → Mom is sitting on the s__________.

7 그는 숫자 **0**을 쓰고 있다. → He is writing the number z__________.

8 그 공을 **차지** 마라. → Don't k__________ the ball.

9 그녀는 **강**을 건너고 있다. → She is crossing the r__________.

10 그것은 무슨 **색**이니? → What c__________ is it?

hard and soft g_

01

집에 작은 정원이 있다.

garden

[gɑ́ːrdən]

정원

02

메리는 조그마한 소녀다.

girl

[gəːrl]

소녀

03

유리잔은 더럽다.

glass

[glæs]

유리잔

04

염소에게 먹이를 준다.

goat

[gout]

염소

05

고릴라가 어슬렁거린다.

gorilla

[gərílə]

고릴라

06

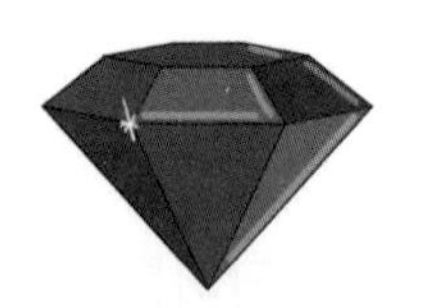

보석을 봐라.

gem

[dʒem]

보석

07

아인슈타인은 천재였다.

genius

[dʒíːnjəs]

천재

08

거인이 된 느낌이다.

giant

[dʒáiənt]

거인

09

기린은 목과 다리가 길다.

giraffe

[dʒərǽf]

기린

10

체육관에서 농구를 한다.

gym

[dʒim]

체육관

자음 g는 경우에 따라 두 가지 소리가 납니다. garden, girl, glass, goat, gorilla에서 g는 [g] 소리, 즉 우리말의 [그] 발음과 유사한 소리가 됩니다. 그러나 gem, genius, giant, giraffe, gym에서 g는 [dʒ] 소리, 즉 우리말의 [쥐] 발음과 유사한 소리가 됩니다.

영어 단어를 완성하세요.

1	garden 정원	_ arden	ga _ _ en	
2	girl 소녀	_ irl	gi _ _	
3	glass 유리잔	_ lass	gl _ _ s	
4	goat 염소	_ oat	g _ a _	
5	gorilla 고릴라	_ orilla	gor _ ll _	
6	gem 보석	_ em	g _ _	
7	genius 천재	_ enius	ge _ iu _	
8	giant 거인	_ iant	gia _ _	
9	giraffe 기린	_ iraffe	gi _ a _ fe	
10	gym 체육관	_ ym	g _ _	

Practice

A 단어의 알맞은 뜻을 선으로 연결한 후, 빈칸에 단어를 직접 써보세요.

1	gem	보석	→	
2	genius	정원	→	
3	glass	천재	→	
4	garden	유리잔	→	

B 그림을 보고 알맞은 단어를 보기 에서 찾아 쓰세요.

보기 girl goat gym giant gorilla giraffe

1 ____________

2 ____________

3 ____________

4 ____________

5 ____________

6 GYM ____________

C 그림에 알맞은 단어를 보기 에서 찾아 문장을 완성하세요.

보기	gem	genius	glass	garden

1 Look at this _______________ here.

2 This _______________ is dirty.

3 The house has a small _______________.

4 Einstein was a _______________.

D 우리말과 같도록 빈칸에 알맞은 단어를 골라 문장을 완성하세요.

1 Mary is a little _______________. Mary는 조그마한 **소녀**다.
(girl / gem)

2 I feel like a _______________. 내가 **거인**이 된 느낌이다.
(garden / giant)

3 The _______________ is walking around. 그 **고릴라**는 어슬렁거리고 있다.
(gorilla / giraffe)

4 Tom feeds his _______________. Tom은 그의 **염소**에게 먹이를 준다.
(goat / genius)

5 I play basketball in the _______________. 나는 **체육관**에서 농구를 한다.
(gym / glass)

6 A _______________ has a long neck and legs. **기린**은 목과 다리가 길다.
(gorilla / giraffe)

short _a_

01

나쁜 사람이다.

bad

[bæd]

나쁜

02

슬퍼 보인다.

sad

[sæd]

슬픈

03

댐을 건설한다.

dam

[dæm]

댐

04

토스트에 잼을 발라라.

jam

[ʤæm]

잼

05

새 선풍기가 필요하다.

fan

[fæn]

선풍기

06

팬에 계란 프라이를 한다.

pan

[pæn]

팬

07

야구모자를 자주 쓴다.

cap

[kæp]

야구모자

08

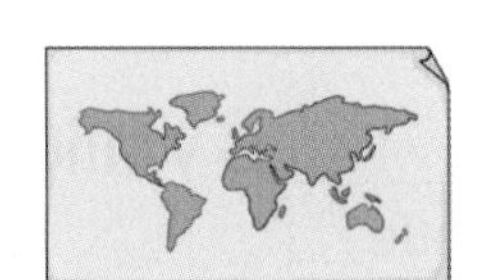

지도에서 서울을 찾아봐라.

map

[mæp]

지도

09

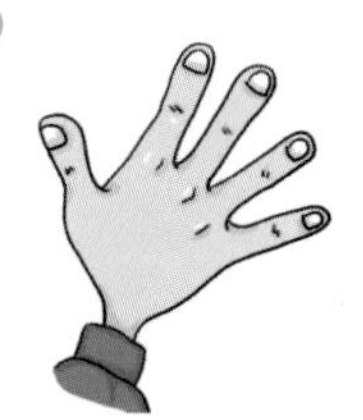

손을 드세요.

hand

[hænd]

손

10

모래에서 놀고 있다.

sand

[sænd]

모래

1음절 단어의 모음 a는 자음과 자음 사이에서 단모음 [æ] 소리가 나는데, 혀끝을 아래 이빨 안쪽에 내린 상태를 유지하면서 [애] 소리를 내면 됩니다.

영어 단어를 완성하세요.

1	bad 나쁜	b d	a	
2	sad 슬픈	s d	a	
3	dam 댐	d m	a	
4	jam 잼	j m	a	
5	fan 선풍기	f n	a	
6	pan 팬	p n	a	
7	cap 야구모자	c p	a	
8	map 지도	m p	a	
9	hand 손	h nd	ha	
10	sand 모래	s nd	sa	

Practice

A 단어의 알맞은 뜻을 선으로 연결한 후, 빈칸에 단어를 직접 써보세요.

1	cap	손	→
2	jam	팬	→
3	pan	잼	→
4	hand	야구모자	→

B 그림을 보고 알맞은 단어를 보기 에서 찾아 쓰세요.

보기 bad sad fan map dam sand

1 ____________

2 ____________

3 ____________

4 ____________

5 ____________

6 ____________

C 그림에 알맞은 단어를 보기 에서 찾아 문장을 완성하세요.

보기	pan	cap	jam	hand

1 Please raise your ______________.

2 I fry an egg in a ______________.

3 I often wear a ______________.

4 Spread ______________ on your toast.

D 우리말과 같도록 빈칸에 알맞은 단어를 골라 문장을 완성하세요.

1 He is a ______________ man. 그는 **나쁜** 사람이다.
(bad / sad)

2 We need a new ______________. 우리는 새 **선풍기**가 필요하다.
(pan / fan)

3 She looks ______________. 그녀는 **슬퍼** 보인다.
(sad / bad)

4 They build a ______________. 그들은 **댐**을 건설한다.
(jam / dam)

5 Find Seoul on the ______________. 그 **지도**에서 서울을 찾아봐라.
(map / cap)

6 We are playing in the ______________. 우리는 **모래**에서 놀고 있다.
(hand / sand)

short _e_

01

거미가 거미줄을 치고 있다.

web

[web]

거미줄

02

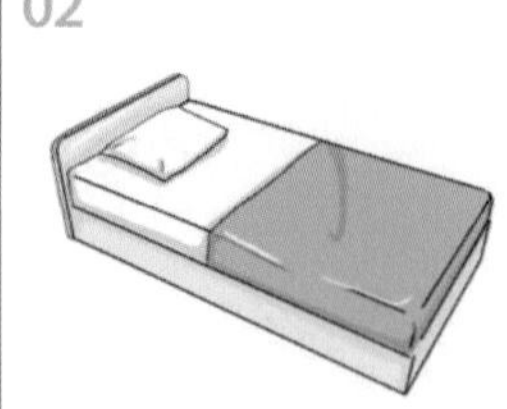

침대 정리를 한다.

bed

[bed]

침대

03

우산은 빨간색이다.

red

[red]

빨간(색)

04

왼쪽 다리가 아프다.

leg

[leg]

다리

05

암탉은 알을 낳는다.

hen

[hen]

암탉

06

여자아이가 10명 있다.

ten

[ten]

10, 열

07

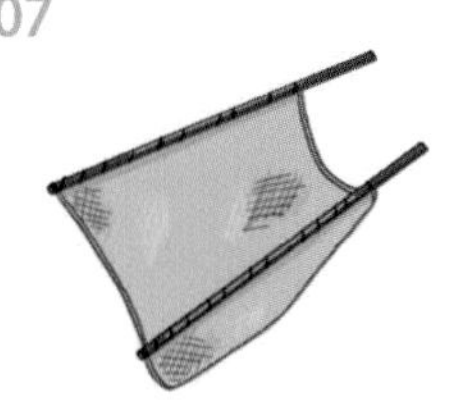

그물로 물고기를 잡는다.

net

[net]

그물

08

내 애완동물은 고양이다.

pet

[pet]

애완동물

09

젖은 수건이다.

wet

[wet]

젖은

10

이유를 말해주세요.

tell

[tel]

말하다

1음절 단어의 모음 e는 자음과 자음 사이에서 단모음 [e] 소리가 나는데, 입술을 옆으로 최대한 벌린 형태를 유지하면서 [에] 소리를 내면 됩니다.

영어 단어를 완성하세요.

1	web 거미줄	w b	e		
2	bed 침대	b d	e		
3	red 빨간(색)	r d	e		
4	leg 다리	l g	e		
5	hen 암탉	h n	e		
6	ten 10, 열	t n	e		
7	net 그물	n t	e		
8	pet 애완동물	p t	e		
9	wet 젖은	w t	e		
10	tell 말하다	t ll	el		

Practice

A 단어의 알맞은 뜻을 선으로 연결한 후, 빈칸에 단어를 직접 써보세요.

1	net	10, 열	→	
2	red	그물	→	
3	ten	거미줄	→	
4	web	빨간(색)	→	

B 그림을 보고 알맞은 단어를 보기 에서 찾아 쓰세요.

보기 leg hen pet bed wet tell

1 ____________

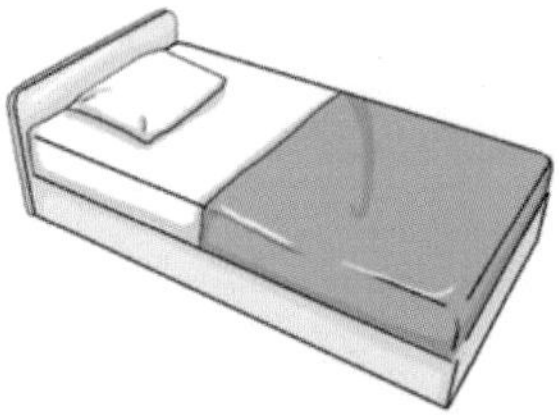

2 ____________

3 ____________

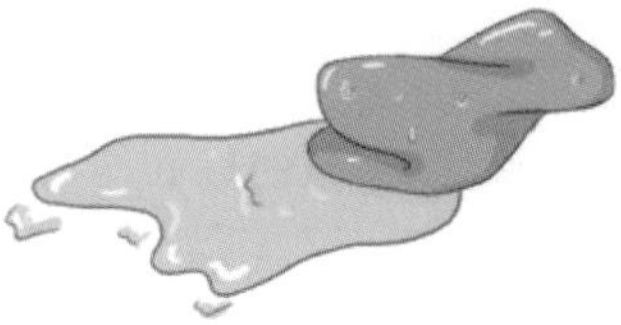

4 ____________

5 ____________

6 ____________

C 그림에 알맞은 단어를 보기 에서 찾아 문장을 완성하세요.

보기	ten	red	net	web

1 My umbrella is ______________.

2 There are 10 ______________ girls.

3 I catch fish in the ______________.

4 The spider is spinning a ______________.

D 우리말과 같도록 빈칸에 알맞은 단어를 골라 문장을 완성하세요.

1 I make my ______________. 나는 **침대** 정리를 한다.
(bed / red)

2 It is a ______________ towel. 그것은 **젖은** 수건이다.
(web / wet)

3 My ______________ is a cat. 내 **애완동물**은 고양이다.
(pet / net)

4 A ______________ lays eggs. **암탉**은 알을 낳는다.
(ten / hen)

5 My left ______________ hurts. 내 왼쪽 **다리**가 아프다.
(leg / tell)

6 Please ______________ me why. 나에게 이유를 **말해주세요**.
(wet / tell)

UNIT 14 short _i_

01

뚜껑 있는 팬을 산다.

lid

[lid]

뚜껑

02

그 아이는 고양이를 키운다.

kid

[kid]

아이

03

큰 집에 산다.

big

[big]

큰

04

모래를 파자.

dig

[dig]

파다

05

핀이 휘었다.

pin

[pin]

핀

06

경주에서 이길 수 있다.

win

[win]

이기다

07

배트로 공을 칠 수 있니?

hit

[hit]

치다, 때리다

08

앉으세요.

sit

[sit]

앉다, 앉아 있다

09

차를 고칠 수 있다.

fix

[fiks]

고치다

10

빨강과 노랑을 섞는다.

mix

[miks]

섞다

1음절 단어의 모음 i는 자음과 자음 사이에서 단모음 [i] 소리가 나는데, 입술을 옆으로 최대한 벌린 형태를 유지하면서 [이] 소리를 내면 됩니다.

영어 단어를 완성하세요.

1	lid 뚜껑	l d	i	
2	kid 아이	k d	i	
3	big 큰	b g	i	
4	dig 파다	d g	i	
5	pin 핀	p n	i	
6	win 이기다	w n	i	
7	hit 치다, 때리다	h t	i	
8	sit 앉다, 앉아 있다	s t	i	
9	fix 고치다	f x	i	
10	mix 섞다	m x	i	

Practice

A 단어의 알맞은 뜻을 선으로 연결한 후, 빈칸에 단어를 직접 써보세요.

B 그림을 보고 알맞은 단어를 보기 에서 찾아 쓰세요.

보기

big sit fix win dig hit

1 ____________

2 ____________

3 ____________

4 ____________

5 ____________

6 ____________

C 그림에 알맞은 단어를 보기 에서 찾아 문장을 완성하세요.

보기	lid	mix	kid	pin

1 The ______________ is bent.

2 I ______________ red and yellow.

3 She buys a pan with a ______________.

4 The ______________ has a cat at home.

D 우리말과 같도록 빈칸에 알맞은 단어를 골라 문장을 완성하세요.

1 Please ______________ down. 앉으세요.
(sit / hit)

2 Let's ______________ in the sand. 모래를 파자.
(big / dig)

3 He can ______________ a car. 그는 차를 고칠 수 있다.
(fix / mix)

4 You can ______________ the race. 너는 그 경주에서 이길 수 있다.
(pin / win)

5 They live in the ______________ house. 그들은 그 큰 집에 산다.
(big / kid)

6 Can you ______________ a ball with a bat? 너는 배트로 공을 칠 수 있니?
(lid / hit)

short _o_

01

웅덩이를 뛰어넘자.

hop

[hɑp]

깡충 뛰다

02

대걸레가 어디에 있니?

mop

[mɑp]

대걸레

03

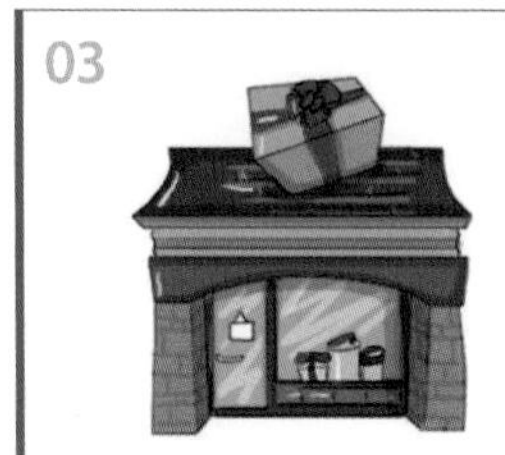

가게는 매일 문을 연다.

shop

[ʃɑp]

가게

04

이 버스가 시청에 서니?

stop

[stɑp]

서다, 멈추다

05

오늘은 덥다.

hot

[hɑt]

더운, 뜨거운

06

냄비에 수프가 끓고 있다.

pot

[pɑt]

냄비

07

티셔츠에 얼룩이 묻었다.

spot

[spɑt]

얼룩, 점

08

문을 잠그지 마라.

lock

[lɑk]

잠그다

09

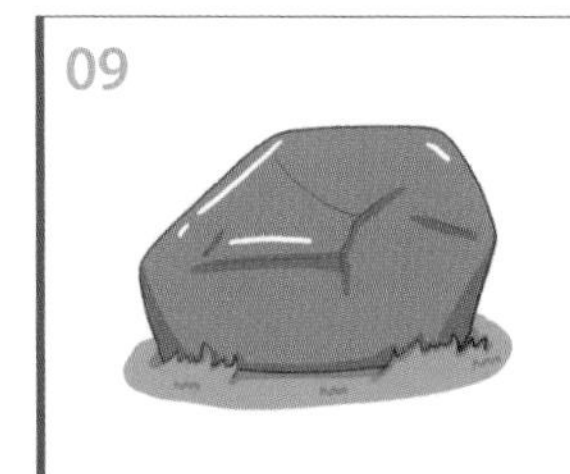

바위 위에 앉아 있다.

rock

[rɑk]

바위

10

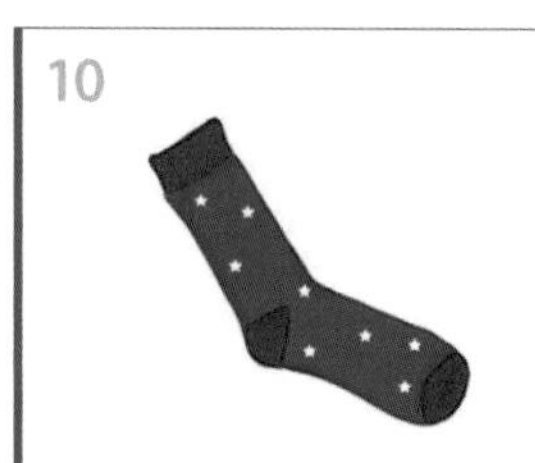

양말에 구멍이 났다.

sock

[sɑk]

양말

1음절 단어의 모음 o는 자음과 자음 사이에서 단모음 [ɑ] 소리가 나는데, 입을 크게 벌리고 목청이 떨리는 듯하게 [아] 소리를 내면 됩니다.

영어 단어를 완성하세요.

1	hop 깡충 뛰다	h p	o	
2	mop 대걸레	m p	o	
3	shop 가게	sh p	s o	
4	stop 서다, 멈추다	st p	s o	
5	hot 더운, 뜨거운	h t	o	
6	pot 냄비	p t	o	
7	spot 얼룩, 점	sp t	po	
8	lock 잠그다	l ck	oc	
9	rock 바위	r ck	oc	
10	sock 양말	s ck	o k	

Practice

A 단어의 알맞은 뜻을 선으로 연결한 후, 빈칸에 단어를 직접 써보세요.

1	pot	바위	→
2	mop	냄비	→
3	stop	대걸레	→
4	rock	서다, 멈추다	→

B 그림을 보고 알맞은 단어를 보기 에서 찾아 쓰세요.

보기 hot hop lock shop sock spot

1 ________

2 ________

3 ________

4 ________

5 ________

6  ________

C 그림에 알맞은 단어를 보기 에서 찾아 문장을 완성하세요.

보기	pot	mop	stop	rock

1 Where is a ____________?

2 The soup is boiling in the ____________.

3 He is sitting on a ____________.

4 Does this bus STOP ____________ at City Hall?

D 우리말과 같도록 빈칸에 알맞은 단어를 골라 문장을 완성하세요.

1 It is ____________ today. 오늘은 **덥**다.
(hot / pot)

2 Don't ____________ the door. 문을 **잠그지** 마라.
(rock / lock)

3 This ____________ is open every day. 이 **가게**는 매일 문을 연다.
(shop / spot)

4 There is a hole in my ____________. 내 **양말**에 구멍이 났다.
(stop / sock)

5 Let's ____________ over the puddle. 그 웅덩이를 **뛰어**넘자.
(hop / mop)

6 There is a ____________ on my T-shirt. 내 티셔츠에 **얼룩**이 묻었다.
(stop / spot)

A 다음 영어 단어의 우리말 뜻을 쓰세요.

1 dam → ______

2 leg → ______

3 kid → ______

4 map → ______

5 web → ______

6 big → ______

7 sock → ______

8 gem → ______

9 shop → ______

10 pet → ______

11 gorilla → ______

12 rock → ______

13 genius → ______

14 giraffe → ______

B 다음 우리말 뜻에 맞는 영어 단어를 쓰세요.

1 냄비 → p______

2 침대 → b______

3 암탉 → h______

4 뚜껑 → l______

5 섞다 → m______

6 소녀 → g______

7 파다 → d______

8 선풍기 → f______

9 대걸레 → m______

10 염소 → g______

11 모래 → s______

12 야구모자 → c______

13 치다, 때리다 → h______

14 유리잔 → g______

C 우리말과 같도록 괄호 안에서 알맞은 단어에 동그라미 하세요.

1 나는 **팬**에 계란 프라이를 한다. → I fry an egg in a (pan / pot).

2 그것은 **젖은** 수건이다. → It is a (sad / wet) towel.

3 그는 **나쁜** 사람이다. → He is a (bad / big) man.

4 **앉으**세요. → Please (sit / stop) down.

5 내 티셔츠에 **얼룩**이 묻었다. → There is a (sand / spot) on my T-shirt.

6 내가 **거인**이 된 느낌이다. → I feel like a (giant / genius).

7 그 웅덩이를 **뛰어**넘자. → Let's (hop / dig) over the puddle.

8 그는 차를 **고칠** 수 있다. → He can (jam / fix) a car.

9 나에게 이유를 **말해주세요**. → Please (tell / win) me why.

10 **손**을 드세요. → Please raise your (leg / hand).

D 우리말과 같도록 빈칸에 알맞은 단어를 쓰세요.

1 오늘은 **덥**다. → It is h__________ today.

2 그녀는 **슬퍼** 보인다. → She looks s__________.

3 내 우산은 **빨간색**이다. → My umbrella is r__________.

4 문을 **잠그지** 마라. → Don't l__________ the door.

5 나는 **체육관**에서 농구를 한다. → I play basketball in the g__________.

6 너는 그 경주에서 **이길** 수 있다. → You can w__________ the race.

7 여자아이가 **10**명 있다. → There are t__________ girls.

8 나는 **그물**로 물고기를 잡는다. → I catch fish in the n__________.

9 이 버스가 시청에 **서니**? → Does this bus s__________ at City Hall?

10 그 집은 작은 **정원**이 있다. → The house has a small g__________.

short _u_

01

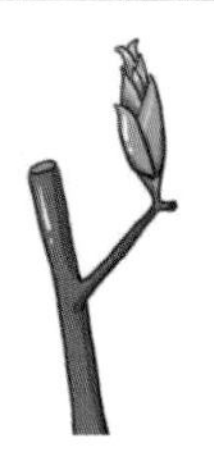

나무에 싹이 난다.

bud

[bʌd]

싹, 봉오리

02

바닥이 진흙투성이다.

mud

[mʌd]

진흙

03

작은 벌레다.

bug

[bʌg]

벌레, 곤충

04

엄마를 껴안는다.

hug

[hʌg]

껴안다

05

개가 양탄자에 누워 있다.

rug

[rʌg]

양탄자

06

파티에서 재미있게 놀아라.

fun

[fʌn]

재미

07

교실에서 뛰지 마라.

run

[rʌn]

달리다

08

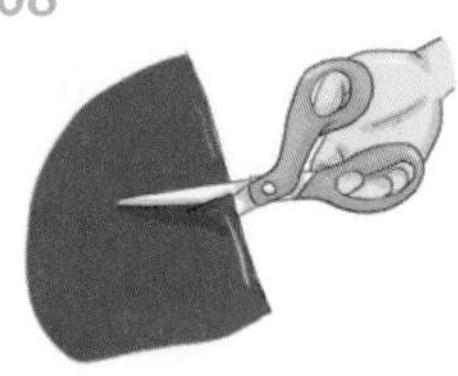

선을 따라 종이를 자른다.

cut

[kʌt]

자르다

09

오두막은 매우 깨끗하다.

hut

[hʌt]

오두막

10

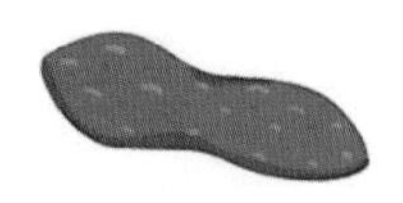

다람쥐가 견과를 먹고 있다.

nut

[nʌt]

견과

1음절 단어의 모음 u는 자음과 자음 사이에서 단모음 [ʌ] 소리가 나는데, 입술을 원형에 가까운 사각형 모양으로 벌리고 [어] 소리를 내면 됩니다.

영어 단어를 완성하세요.

1	bud 싹, 봉오리	b d	u	
2	mud 진흙	m d	u	
3	bug 벌레, 곤충	b g	u	
4	hug 껴안다	h g	u	
5	rug 양탄자	r g	u	
6	fun 재미	f n	u	
7	run 달리다	r n	u	
8	cut 자르다	c t	u	
9	hut 오두막	h t	u	
10	nut 견과	n t	u	

Practice

A 단어의 알맞은 뜻을 선으로 연결한 후, 빈칸에 단어를 직접 써보세요.

1	nut	진흙	→
2	mud	견과	→
3	bug	양탄자	→
4	rug	벌레, 곤충	→

B 그림을 보고 알맞은 단어를 보기 에서 찾아 쓰세요.

보기

bud cut hug hut run fun

1 ______________

2 ______________

3 ______________

4 ______________

5 ______________

6 ______________

C 그림에 알맞은 단어를 보기 에서 찾아 문장을 완성하세요.

보기	nut	mud	rug	bug

1 It is a small ______________.

2 The dog is lying on the ______________.

3 There is ______________ all over the floor.

4 The squirrel is eating the ______________.

D 우리말과 같도록 빈칸에 알맞은 단어를 골라 문장을 완성하세요.

1 I ______________ my mom. 나는 엄마를 **껴안는다**.
(hug / rug)

2 The tree is in ______________. 그 나무에 **싹**이 난다.
(mud / bud)

3 I ______________ the paper along the line. 나는 선을 따라 종이를 **자른다**.
(cut / nut)

4 Have ______________ at the party. 파티에서 **재미**있게 놀아라.
(run / fun)

5 The ______________ is very neat. 그 **오두막**은 매우 깨끗하다.
(hut / bug)

6 Don't ______________ in the classroom. 교실에서 **뛰지** 마라.
(rug / run)

long _a_

01

앵무새가 새장에 있다.

cage

[keidʒ]

새장, 우리

02

10쪽을 펴라.

page

[peidʒ]

쪽, 페이지

03

케이크를 굽는다.

cake

[keik]

케이크

04

호수에서 수영하지 마라.

lake

[leik]

호수

05

농구는 재미있는 경기다.

game

[geim]

경기

06

내 이름은 케이트다.

name

[neim]

이름

07

오늘 날짜를 써라.

date

[deit]

날짜

08

정문이 닫혀 있다.

gate

[geit]

정문

09

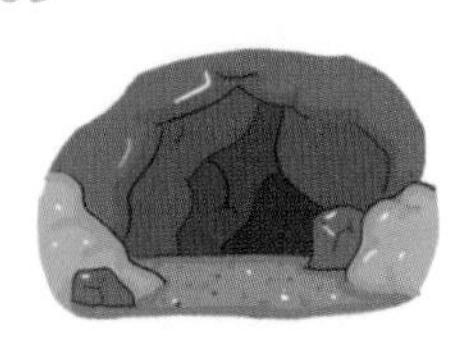

동굴에 박쥐가 있다.

cave

[keiv]

동굴

10

거대한 파도가 밀려온다.

wave

[weiv]

파도

_age, _ake, _ame, _ate, _ave의 단어에서 모음 a는 장모음 [ei] 소리가 납니다.
이 발음은 길게 [에이] 소리를 내면 됩니다.

영어 단어를 완성하세요.

1	cage 새장, 우리	c ge	ca		
2	page 쪽, 페이지	p ge	a e		
3	cake 케이크	c ke	a e		
4	lake 호수	l ke	la		
5	game 경기	g me	ga		
6	name 이름	n me	a e		
7	date 날짜	d te	a e		
8	gate 정문	g te	ga		
9	cave 동굴	c ve	ca		
10	wave 파도	w ve	a e		

Practice

A 단어의 알맞은 뜻을 선으로 연결한 후, 빈칸에 단어를 직접 써보세요.

1	page	이름	→	
2	cake	파도	→	
3	wave	케이크	→	
4	name	쪽, 페이지	→	

B 그림을 보고 알맞은 단어를 보기 에서 찾아 쓰세요.

보기 cage cave game gate date lake

1 ______________

2 ______________

3 ______________

4 ______________

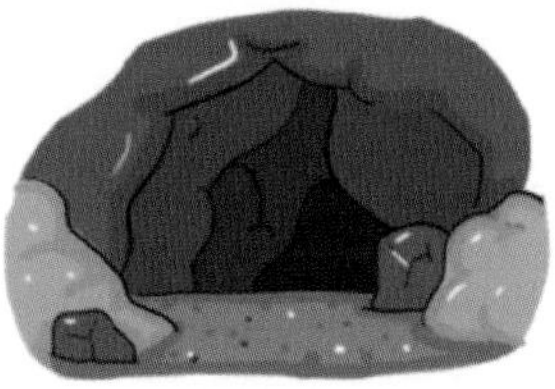

5 ______________

6 JAN 1 ______________

C 그림에 알맞은 단어를 보기 에서 찾아 문장을 완성하세요.

보기	cake	name	wave	page

1 Turn to ______________ 10.

2 She bakes a ______________.

3 My ______________ is Kate.

4 There comes a huge ______________.

D 우리말과 같도록 빈칸에 알맞은 단어를 골라 문장을 완성하세요.

1 The ______________ is shut. 그 **정문**은 닫혀 있다.
(date / gate)

2 Don't swim in the ______________. **호수**에서 수영하지 마라.
(lake / cake)

3 Your parrot is in the ______________. 네 앵무새는 **새장**에 있다.
(cage / page)

4 Write today's ______________. 오늘 **날짜**를 써라.
(gate / date)

5 There are bats in the ______________. 그 **동굴**에 박쥐들이 있다.
(cave / wave)

6 Basketball is an exciting ______________. 농구는 재미있는 **경기**다.
(name / game)

long _i_

01

애플파이를 좋아하니?

pie

[pai]

파이

02

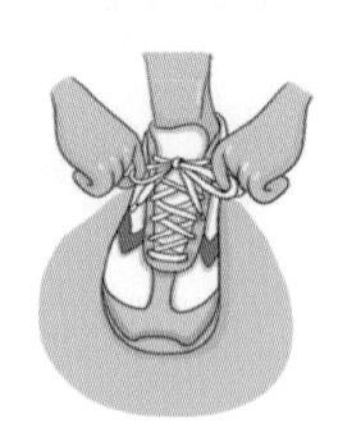

신발끈을 묶는다.

tie

[tai]

묶다

03

오두막에 생쥐들이 있다.

mice

[mais]

생쥐들

04

밥과 국을 먹는다.

rice

[rais]

밥, 쌀

05

나무 뒤에 숨는다.

hide

[haid]

숨다

06

오토바이를 탈 수 있다.

ride

[raid]

타다

07

자전거를 타고 간다.

bike

[baik]

자전거

08

하이킹 가자.

hike

[haik]

하이킹

09

손톱을 물어뜯지 마라.

bite

[bait]

(깨)물다

10

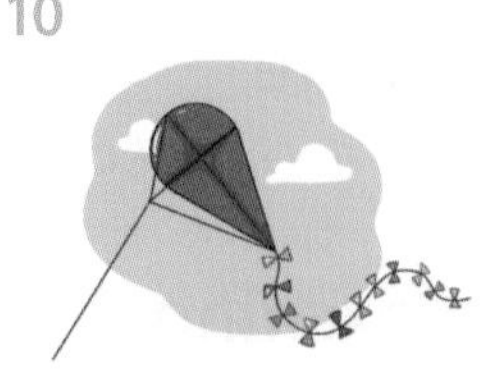

연날리기는 재미있다.

kite

[kait]

연

_ie, _ice, _ide, _ike, _ite의 단어에서 모음 i는 장모음 [ai] 소리가 납니다.
이 발음은 길게 [아이] 소리를 내면 됩니다.

영어 단어를 완성하세요.

1	pie 파이	p _ e	_ i _		
2	tie 묶다	t _ e	_ i _		
3	mice 생쥐들	m _ ce	_ i _ e		
4	rice 밥, 쌀	r _ ce	ri _ _		
5	hide 숨다	h _ de	_ id _		
6	ride 타다	r _ de	_ i _ e		
7	bike 자전거	b _ ke	_ i _ e		
8	hike 하이킹	h _ ke	hi _ _		
9	bite (깨)물다	b _ te	bi _ _		
10	kite 연	k _ te	_ i _ e		

Practice

A 단어의 알맞은 뜻을 선으로 연결한 후, 빈칸에 단어를 직접 써보세요.

1	pie	연	→
2	kite	파이	→
3	bike	밥, 쌀	→
4	rice	자전거	→

B 그림을 보고 알맞은 단어를 보기 에서 찾아 쓰세요.

보기: ride mice hide bite hike tie

1 ______________

2 ______________

3 ______________

4 ______________

5 ______________

6 ______________

C 그림에 알맞은 단어를 보기 에서 찾아 문장을 완성하세요.

보기	pie	rice	bike	kite

1 Flying a ____________ is fun.

2 I go to school by ____________.

3 They have ____________ and soup.

4 Do you like apple ____________?

D 우리말과 같도록 빈칸에 알맞은 단어를 골라 문장을 완성하세요.

1 I ____________ my shoelaces. 나는 신발끈을 **묶는다**.
(pie / tie)

2 There are ____________ in the hut. 그 오두막에 **생쥐들**이 있다.
(mice / rice)

3 I ____________ behind the tree. 나는 그 나무 뒤에 **숨는다**.
(ride / hide)

4 He can ____________ a motorcycle. 그는 오토바이를 **탈** 수 있다.
(ride / rice)

5 Don't ____________ your nails. 손톱을 **물어뜯지** 마라.
(kite / bite)

6 Let's go on a ____________. **하이킹** 가자.
(hike / bike)

long _o_

01

춥다.

cold

[kould]

추운, 차가운

02

금이니?

gold

[gould]

금

03

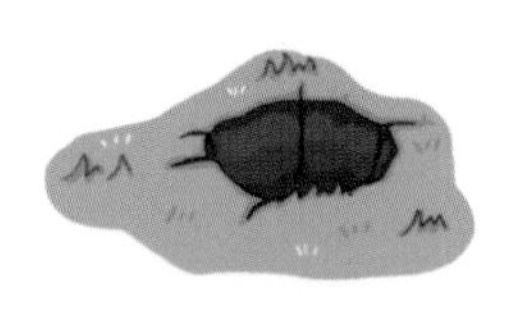

구덩이를 파고 있다.

hole

[houl]

구덩이, 구멍

04

두더지는 땅속에서 산다.

mole

[moul]

두더지

05

날씨가 좋길 바란다.

hope

[houp]

바라다, 희망하다

06

밧줄을 묶고 있다.

rope

[roup]

밧줄

07

코가 크다.

nose

[nouz]

코

08

메리에게 장미를 보낸다.

rose

[rouz]

장미

09

이름을 메모해라.

note

[nout]

메모

10

스티브에게 투표한다.

vote

[vout]

투표하다

_old, _ole, _ope, _ose, _ote의 단어에서 모음 o는 장모음 [ou] 소리가 납니다.
이 발음은 길게 [오우] 소리를 내면 됩니다.

영어 단어를 완성하세요.

1	cold 추운, 차가운	c ld	co	
2	gold 금	g ld	ol	
3	hole 구덩이, 구멍	h le	ol	
4	mole 두더지	m le	mo	
5	hope 바라다, 희망하다	h pe	op	
6	rope 밧줄	r pe	ro	
7	nose 코	n se	o e	
8	rose 장미	r se	ro	
9	note 메모	n te	no	
10	vote 투표하다	v te	o e	

Practice

A 단어의 알맞은 뜻을 선으로 연결한 후, 빈칸에 단어를 직접 써보세요.

1	rose	금	→	
2	gold	장미	→	
3	note	밧줄	→	
4	rope	메모	→	

B 그림을 보고 알맞은 단어를 보기 에서 찾아 쓰세요.

보기 cold nose hole hope mole vote

1 ______________

2 ______________

3 ______________

4 ______________

5 ______________

6 ______________

C 그림에 알맞은 단어를 보기 에서 찾아 문장을 완성하세요.

보기	rose	gold	rope	note

1 He is tying a ______________.

2 He sends Mary a ______________.

3 Is it ______________?

4 Make a ______________ of his name.

D 우리말과 같도록 빈칸에 알맞은 단어를 골라 문장을 완성하세요.

1 I feel ______________. 나는 춥다.
(gold / cold)

2 He has a big ______________. 그는 코가 크다.
(nose / rose)

3 I ______________ for good weather. 나는 날씨가 좋길 바란다.
(rope / hope)

4 I ______________ for Steve. 나는 Steve에게 투표한다.
(vote / note)

5 A ______________ lives under the ground. 두더지는 땅속에서 산다.
(hole / mole)

6 He is digging a ______________. 그는 구덩이를 파고 있다.
(hole / hope)

ENTOR JOY 1

UNIT 20

long _u_

01

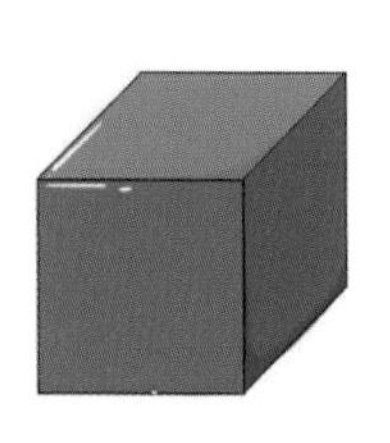

정육면체는 면이 6개다.

cube

[kju:b]

정육면체

02

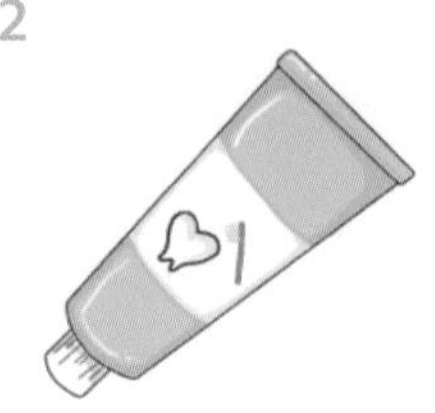

치약 한 통을 산다.

tube

[tjuːb]

통, 튜브

03

노새는 말처럼 생겼다.

mule

[mju:l]

노새

04

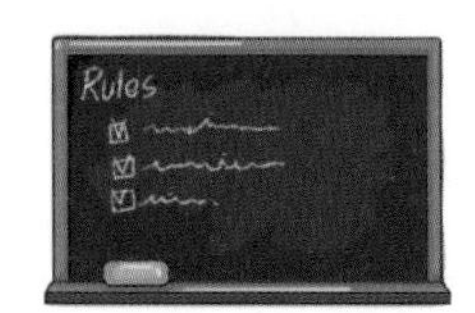

규칙을 어겼다.

rule

[ru:l]

규칙

05

생일은 6월이다.

June

[dʒu:n]

6월

06

멜로디를 흥얼거린다.

tune

[tju:n]

멜로디, 선율

07

아기가 아주 귀엽다.

cute

[kju:t]

귀여운

08

말없이 앉아 있다.

mute

[mju:t]

말이 없는

09

플루트를 연주할 수 있니?

flute

[flu:t]

플루트

10

튤립은 봄에 핀다.

tulip

[tjúːlip]

튤립

_ube, _ule, _une, _ute, _ulip의 단어에서 모음 u는 장모음 [u:] 소리가 납니다.
이 발음은 길게 [우-] 소리를 내면 됩니다.

영어 단어를 완성하세요.

1	cube 정육면체	c be	cu	
2	tube 통, 튜브	t be	ub	
3	mule 노새	m le	u e	
4	rule 규칙	r le	ru	
5	June 6월	J ne	un	
6	tune 멜로디, 선율	t ne	u e	
7	cute 귀여운	c te	ut	
8	mute 말이 없는	m te	mu	
9	flute 플루트	fl te	lut	
10	tulip 튤립	t lip	tu p	

Practice

A 단어의 알맞은 뜻을 선으로 연결한 후, 빈칸에 단어를 직접 써보세요.

1	cube	귀여운	→	
2	cute	튤립	→	
3	flute	플루트	→	
4	tulip	정육면체	→	

B 그림을 보고 알맞은 단어를 보기 에서 찾아 쓰세요.

보기 June tube mule rule mute tune

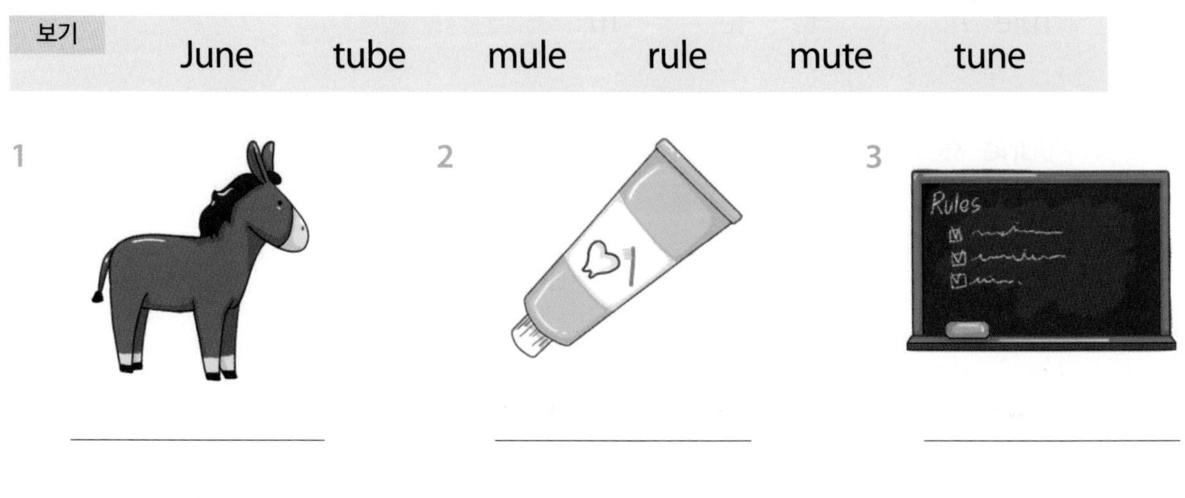

1 ______ 2 ______ 3 ______

4 ______ 5 ______ 6 ______

C 그림에 알맞은 단어를 보기 에서 찾아 문장을 완성하세요.

보기	cube	cute	tulip	flute

1 The baby is so ______________.

2 A ______________ has six sides.

3 Can you play the ______________?

4 A ______________ blooms in spring.

D 우리말과 같도록 빈칸에 알맞은 단어를 골라 문장을 완성하세요.

1 My birthday is in ______________. 내 생일은 **6월**이다.
(mute / June)

2 She broke the ______________. 그녀는 그 **규칙**을 어겼다.
(rule / mule)

3 A ______________ looks like a horse. **노새**는 말처럼 생겼다.
(flute / mule)

4 She buys a ______________ of toothpaste. 그녀는 치약 한 **통**을 산다.
(tube / cube)

5 He is humming a ______________. 그는 **멜로디**를 흥얼거리고 있다.
(cute / tune)

6 She is sitting ______________. 그녀는 **말없이** 앉아 있다.
(mute / tulip)

A 다음 영어 단어의 우리말 뜻을 쓰세요.

1 hut → ______
2 bike → ______
3 name → ______
4 cave → ______
5 June → ______
6 rose → ______
7 mole → ______
8 cube → ______
9 lake → ______
10 wave → ______
11 vote → ______
12 mice → ______
13 rule → ______
14 tulip → ______

B 다음 우리말 뜻에 맞는 영어 단어를 쓰세요.

1 금 → g______
2 견과 → n______
3 진흙 → m______
4 파이 → p______
5 밧줄 → r______
6 날짜 → d______
7 양탄자 → r______
8 밥, 쌀 → r______
9 쪽, 페이지 → p______
10 케이크 → c______
11 새장, 우리 → c______
12 플루트 → f______
13 숨다 → h______
14 바라다, 희망하다 → h______

C 우리말과 같도록 괄호 안에서 알맞은 단어에 동그라미 하세요.

1	나는 신발끈을 **묶는다**.	→	I (hug / tie) my shoelaces.
2	그 **정문**은 닫혀 있다.	→	The (gate / cage) is shut.
3	그것은 작은 **벌레**다.	→	It is a small (pie / bug).
4	**하이킹** 가자.	→	Let's go on a (vote / hike).
5	교실에서 **뛰지** 마라.	→	Don't (run / hide) in the classroom.
6	그녀는 치약 한 **통**을 산다.	→	She buys a (cave / tube) of toothpaste.
7	손톱을 **물어뜯지** 마라.	→	Don't (bite / tune) your nails.
8	**노새**는 말처럼 생겼다.	→	A (mole / mule) looks like a horse.
9	그의 이름을 **메모**해라.	→	Make a (date / note) of his name.
10	그는 **구덩이**를 파고 있다.	→	He is digging a (rule / hole).

D 우리말과 같도록 빈칸에 알맞은 단어를 쓰세요.

1	나는 **춥**다.	→	I feel c________.
2	나는 엄마를 **껴안는다**.	→	I h________ my mom.
3	그는 **코**가 크다.	→	He has a big n________.
4	그 아기는 아주 **귀엽**다.	→	The baby is so c________.
5	**연**날리기는 재미있다.	→	Flying a k________ is fun.
6	파티에서 **재미**있게 놀아라.	→	Have f________ at the party.
7	그는 오토바이를 **탈** 수 있다.	→	He can r________ a motorcycle.
8	나는 선을 따라 종이를 **자른다**.	→	I c________ the paper along the line.
9	농구는 재미있는 **경기**다.	→	Basketball is an exciting g________.
10	그녀는 **말없이** 앉아 있다.	→	She is sitting m________.

_ea_ and _ee(_)

01

콩 샐러드가 맛있다.

bean

[bi:n]

콩

02

단풍잎이다.

leaf

[li:f]

(나뭇)잎

03

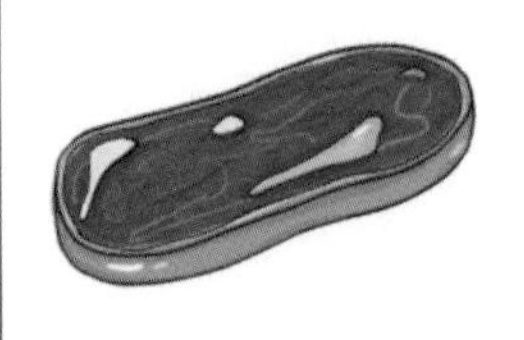

고기를 안 먹는다.

meat

[mi:t]

고기

04

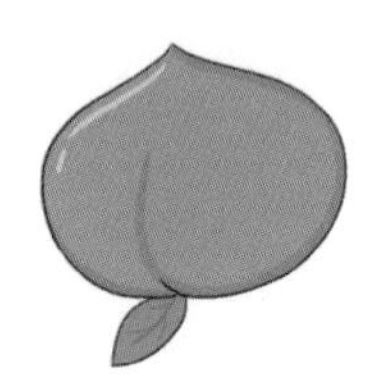

복숭아가 달다.

peach

[pi:tʃ]

복숭아

05

책을 많이 읽는다.

read

[rì:d]

읽다

06

벌은 꿀을 만든다.

bee

[bi:]

벌

07

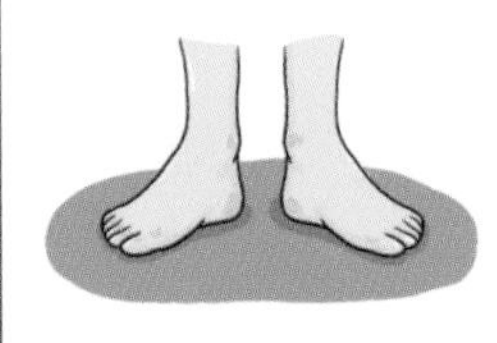

매일 발을 씻는다.

feet

[fi:t]

발(들)

08

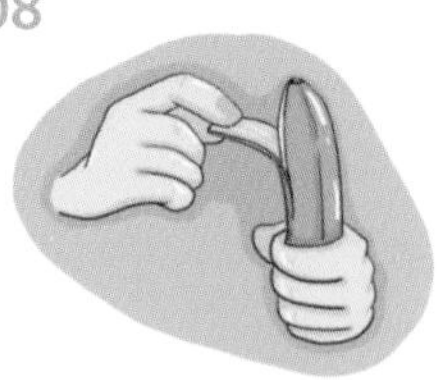

바나나 껍질을 벗겨 주세요.

peel

[pi:l]

껍질을 벗기다

09

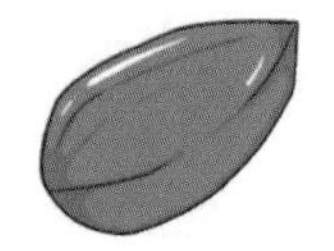

씨앗은 나무로 자랄 거다.

seed

[si:d]

씨앗

10

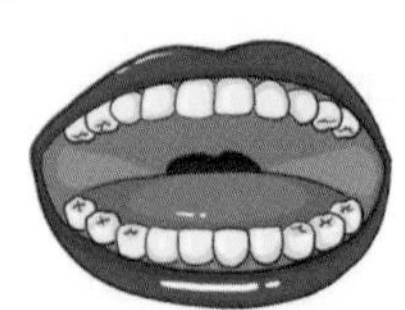

이를 닦고 있다.

teeth

[ti:θ]

이빨(들)

_ea_, _ee(_)의 단어들에서 ea와 ee는 장모음 [i:] 소리가 납니다.
이 발음은 길게 [이-] 소리를 내면 됩니다.

영어 단어를 완성하세요.

1	bean 콩	b n	ea	
2	leaf (나뭇)잎	l f	ea	
3	meat 고기	m t	ea	
4	peach 복숭아	p ch	pea	
5	read 읽다	r d	ea	
6	bee 벌	b	e	
7	feet 발(들)	f t	ee	
8	peel 껍질을 벗기다	p l	ee	
9	seed 씨앗	s d	ee	
10	teeth 이빨(들)	t th	tee	

Practice

A 단어의 알맞은 뜻을 선으로 연결한 후, 빈칸에 단어를 직접 써보세요.

1	feet	고기	→
2	leaf	씨앗	→
3	seed	발(들)	→
4	meat	(나뭇)잎	→

B 그림을 보고 알맞은 단어를 보기 에서 찾아 쓰세요.

보기 bee read teeth bean peel peach

1 ______________

2 ______________

3 ______________

4 ______________

5 ______________

6 ______________

C 그림에 알맞은 단어를 보기 에서 찾아 문장을 완성하세요.

보기 leaf seed meat feet

1 She doesn't eat ______________.

2 It is a maple ______________.

3 I wash my ______________ every day.

4 The ______________ will grow into a tree.

D 우리말과 같도록 빈칸에 알맞은 단어를 골라 문장을 완성하세요.

1 I ______________ a lot of books. 나는 책을 많이 **읽는다**.
(feet / read)

2 He is brushing his ______________. 그는 **이**를 닦고 있다.
(teeth / peach)

3 This ______________ tastes sweet. 이 **복숭아**는 달다.
(meat / peach)

4 Please ______________ a banana for me. 나를 위해 바나나 **껍질을 벗겨** 주세요.
(peel / leaf)

5 This ______________ salad is delicious. 이 **콩** 샐러드는 맛있다.
(seed / bean)

6 A ______________ makes honey. **벌**은 꿀을 만든다.
(bee / meat)

_ai_ and _ay

01

못을 박고 있다.

nail

[neil]

못

02

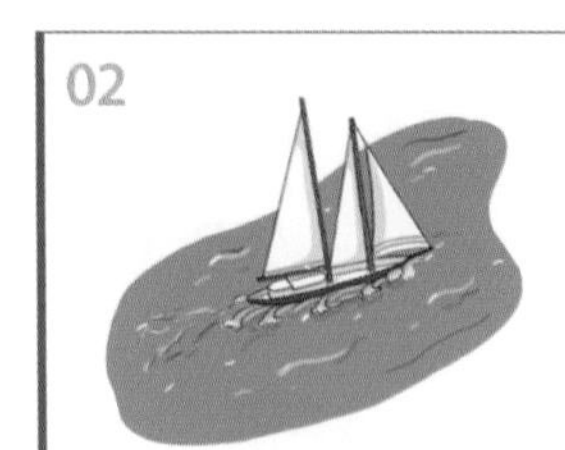

배는 다시 항해할 거다.

sail

[seil]

항해하다

03

이구아나는 꼬리가 길다.

tail

[teil]

꼬리

04

내일은 비가 올 거다.

rain

[rein]

비가 오다, 비

05

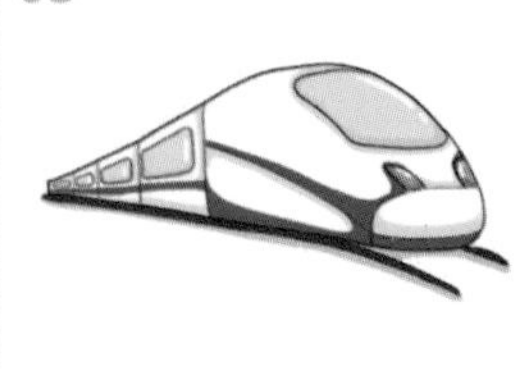

런던행 기차니?

train

[trein]

기차

06

오늘은 무슨 요일이니?

day

[dei]

요일, 날

07

점토로 접시를 만든다.

clay

[klei]

점토, 찰흙

08

밖에 나가서 놀자.

play

[plei]

놀다

09

집에 머무를 거다.

stay

[stei]

머무르다

10

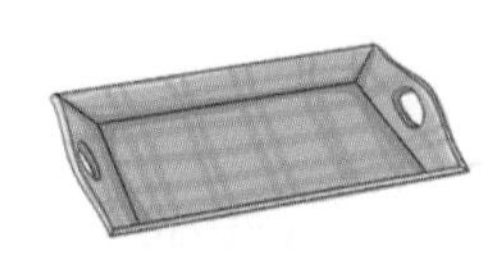

쟁반에 사과 5개가 있다.

tray

[trei]

쟁반

_ai_, _ay의 단어들에서 ai와 ay는 장모음 [ei] 소리가 납니다.
이 발음은 길게 [에이] 소리를 내면 됩니다.

영어 단어를 완성하세요.

1	nail 못	n _ _ l	_ ai _	
2	sail 항해하다	s _ _ l	_ ai _	
3	tail 꼬리	t _ _ l	_ ai _	
4	rain 비가 오다, 비	r _ _ n	_ ai _	
5	train 기차	tr _ _ n	_ rai _	
6	day 요일, 날	d _ _	_ _ y	
7	clay 점토, 찰흙	cl _ _	_ _ ay	
8	play 놀다	pl _ _	_ _ ay	
9	stay 머무르다	st _ _	_ _ ay	
10	tray 쟁반	tr _ _	_ _ ay	

Practice

A 단어의 알맞은 뜻을 선으로 연결한 후, 빈칸에 단어를 직접 써보세요.

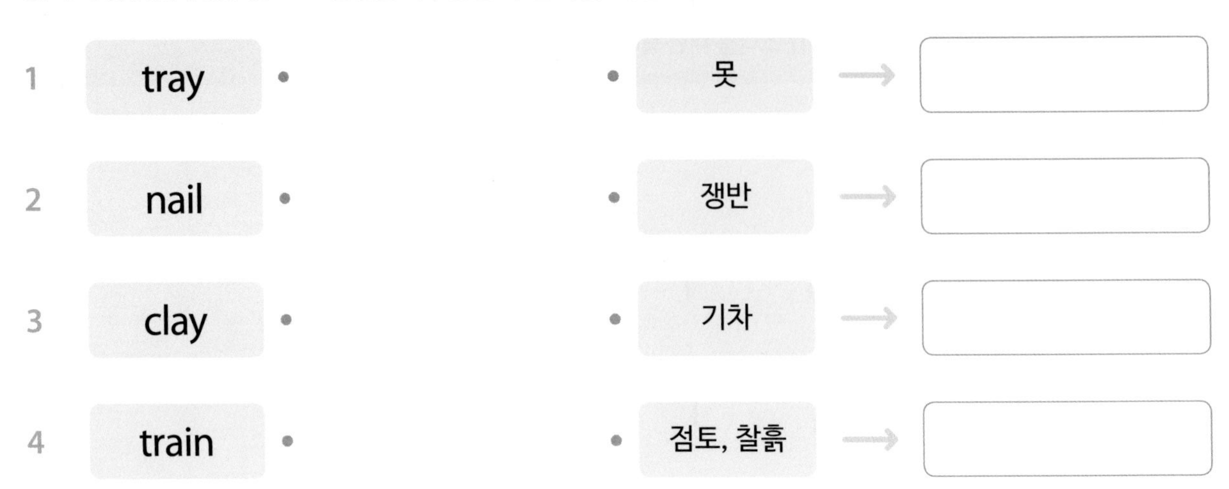

1	tray	못	→	
2	nail	쟁반	→	
3	clay	기차	→	
4	train	점토, 찰흙	→	

B 그림을 보고 알맞은 단어를 보기 에서 찾아 쓰세요.

보기 day play stay tail sail rain

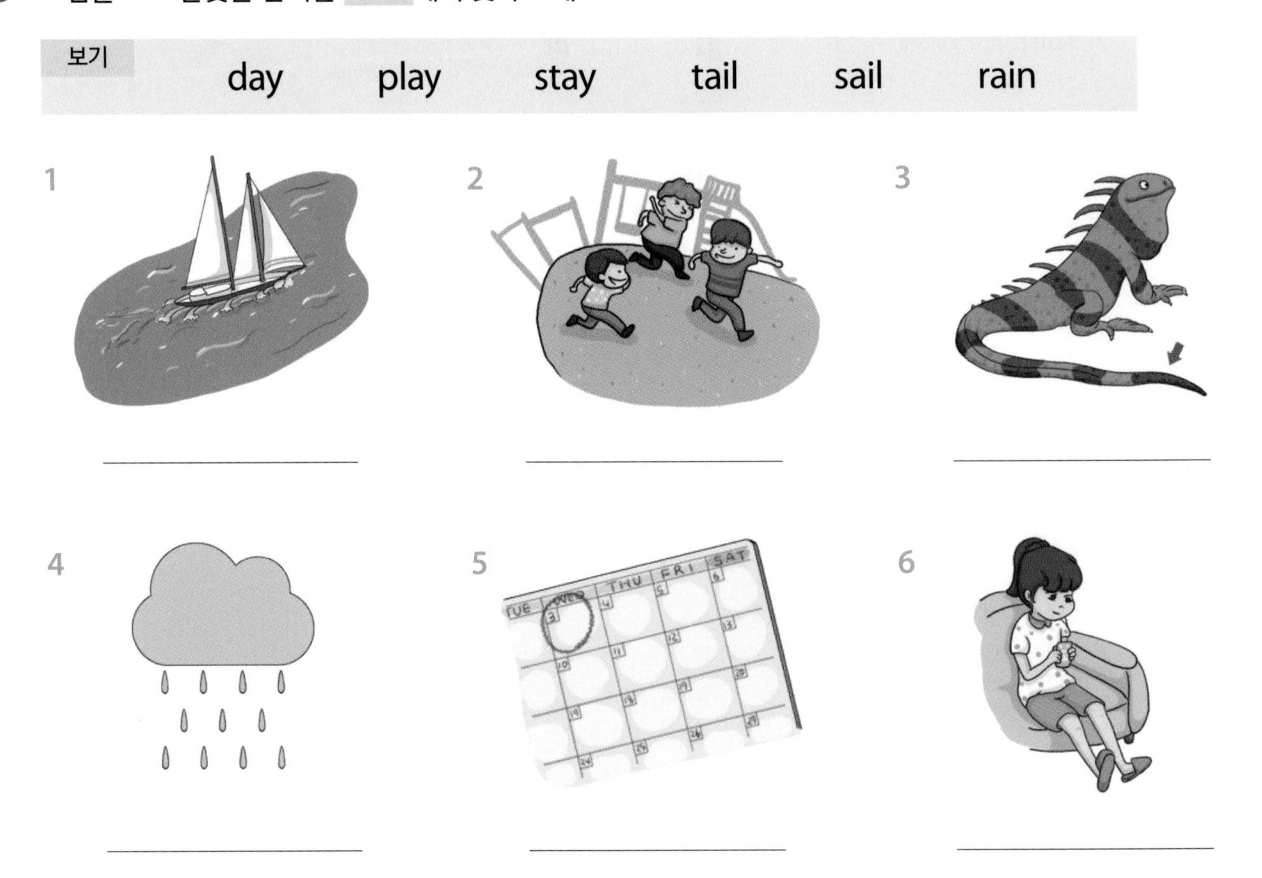

1 ______ 2 ______ 3 ______

4 ______ 5 ______ 6 ______

C 그림에 알맞은 단어를 보기 에서 찾아 문장을 완성하세요.

보기	clay	nail	tray	train

1 He is hammering a ____________.

2 There are five apples on the ____________.

3 He makes dishes out of ____________.

4 Is this the ____________ for London?

D 우리말과 같도록 빈칸에 알맞은 단어를 골라 문장을 완성하세요.

1 An iguana has a long ____________. 이구아나는 **꼬리**가 길다.
(tray / tail)

2 What ____________ is it today? 오늘은 무슨 **요일**이니?
(day / nail)

3 It will ____________ tomorrow. 내일은 **비가 올** 거다.
(clay / rain)

4 Let's ____________ outside. 밖에 나가서 **놀자**.
(play / sail)

5 I will ____________ at home. 나는 집에 **머무를** 거다.
(stay / rain)

6 The ship will ____________ again. 그 배는 다시 **항해할** 거다.
(train / sail)

_oa_ and _ow(_)

01

배의 노를 젓고 있다.

boat

[bout]

(작은) 배

02

코트를 벗으세요.

coat

[kout]

코트, 외투

03

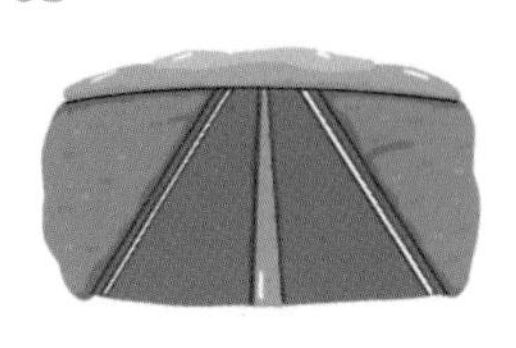

도로에 차들이 달리고 있다.

road

[roud]

도로

04

두꺼비는 개구리처럼 생겼다.

toad

[toud]

두꺼비

05

비누로 손을 닦아라.

soap

[soup]

비누

06

책상이 너무 낮다.

low

[lou]

낮은

07

호루라기를 불지 마라.

blow

[blou]

불다

08

거북은 움직임이 느리다.

slow

[slou]

느린

09

베개가 푹신하다.

pillow

[pílou]

베개

10

샐러드 그릇이다.

bowl

[boul]

그릇

_oa_, _ow(_)의 단어들에서 oa와 ow는 장모음 [ou] 소리가 납니다.
이 발음은 길게 [오우] 소리를 내면 됩니다.

영어 단어를 완성하세요.

1	boat (작은) 배	b _ _ t	_ oa _	
2	coat 코트, 외투	c _ _ t	_ oa _	
3	road 도로	r _ _ d	_ oa _	
4	toad 두꺼비	t _ _ d	_ oa _	
5	soap 비누	s _ _ p	_ oa _	
6	low 낮은	l _ _	_ _ w	
7	blow 불다	bl _ _	_ _ ow	
8	slow 느린	sl _ _	_ _ ow	
9	pillow 베개	pill _ _	p _ _ low	
10	bowl 그릇	b _ _ l	_ ow _	

Practice

A 단어의 알맞은 뜻을 선으로 연결한 후, 빈칸에 단어를 직접 써보세요.

1	low	비누	→	
2	soap	그릇	→	
3	bowl	베개	→	
4	pillow	낮은	→	

B 그림을 보고 알맞은 단어를 보기 에서 찾아 쓰세요.

보기 boat blow coat road toad slow

1 ______________

2 ______________

3 ______________

4 ______________

5 ______________

6 ______________

C 그림에 알맞은 단어를 보기 에서 찾아 문장을 완성하세요.

보기	low	bowl	soap	pillow

1 This is a salad ______________.

2 The desk is too ______________ for me.

3 This ______________ is soft.

4 Wash your hands with ______________.

D 우리말과 같도록 빈칸에 알맞은 단어를 골라 문장을 완성하세요.

1 Take off your ______________, please. **코트**를 벗으세요.
(pillow / coat)

2 Don't ______________ a whistle. 호루라기를 **불지** 마라.
(blow / boat)

3 A ______________ looks like a frog. **두꺼비**는 개구리처럼 생겼다.
(low / toad)

4 A turtle is ______________ to move. 거북은 움직임이 **느리**다.
(soap / slow)

5 Cars are driving along the ______________. **도로**에 차들이 달리고 있다.
(bowl / road)

6 He is rowing a ______________. 그는 **배**의 노를 젓고 있다.
(low / boat)

_ou_ and _ow(_)

01

1부터 10까지 세어보자.

count

[kaunt]

(수를) 세다

02

블라우스가 작다.

blouse

[blaus]

블라우스

03

새 집으로 이사한다.

house

[haus]

집

04

덫으로 생쥐를 잡는다.

mouse

[maus]

생쥐

05

입을 벌리세요.

mouth

[mauθ]

입

06

젖소는 우유를 제공한다.

cow

[kau]

젖소, 암소

07

물이 산 아래로 흐른다.

down

[daun]

아래로

08

의사는 흰 가운을 입었다.

gown

[gaun]

가운

09

머리가 갈색이다.

brown

[braun]

갈색(의)

10

거리에 사람들이 많다.

crowd

[kraud]

사람들, 군중

_ou_, _ow(_)의 단어들에서 ou와 ow는 장모음 [au] 소리가 납니다.
이 발음은 길게 [아우] 소리를 내면 됩니다.

영어 단어를 완성하세요.

1	count (수를) 세다	c nt	oun	
2	blouse 블라우스	bl se	lou e	
3	house 집	h se	ous	
4	mouse 생쥐	m se	mou	
5	mouth 입	m th	ou h	
6	cow 젖소, 암소	c	o	
7	down 아래로	d n	ow	
8	gown 가운	g n	ow	
9	brown 갈색(의)	br n	own	
10	crowd 사람들, 군중	cr d	row	

Practice

A 단어의 알맞은 뜻을 선으로 연결한 후, 빈칸에 단어를 직접 써보세요.

1	down	생쥐	→
2	brown	아래로	→
3	mouse	갈색(의)	→
4	blouse	블라우스	→

B 그림을 보고 알맞은 단어를 보기 에서 찾아 쓰세요.

보기 cow gown house mouth crowd count

1 ______

2 ______

3 ______

4 ______

5 ______

1.... 10

6 ______

C 그림에 알맞은 단어를 보기 에서 찾아 문장을 완성하세요.

보기			
down	brown	mouse	blouse

1 I have ______________ hair.

2 He catches a ______________ in a trap.

3 This ______________ is small for me.

4 The water flows ______________ the mountain.

D 우리말과 같도록 빈칸에 알맞은 단어를 골라 문장을 완성하세요.

1 A ______________ gives us milk. **젖소**는 우리에게 우유를 제공한다.
(mouse / cow)

2 We move to a new ______________. 우리는 새 **집**으로 이사한다.
(house / brown)

3 Let's ______________ from one to ten. 1부터 10까지 **세어**보자.
(down / count)

4 The doctor wore a white ______________. 그 의사는 흰 **가운**을 입었다.
(gown / blouse)

5 Open your ______________, please. **입**을 벌리세요.
(crowd / mouth)

6 There is a big ______________ in the street. 그 거리에 **사람들**이 많다.
(crowd / count)

_oi_ and _oy

01

냄비에 계란을 삶는다.

boil

[bɔil]

삶다, 끓이다

02

철사 코일을 산다.

coil

[kɔil]

코일, 고리

03

씨앗을 흙으로 덮는다.

soil

[sɔil]

흙

04

기계에 동전을 넣는다.

coin

[kɔin]

동전

05

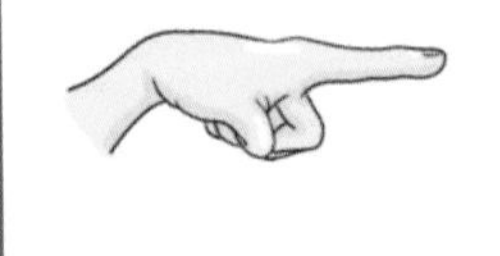

북쪽을 (손으로) 가리킨다.

point

[pɔint]

(손으로) 가리키다

06

소년은 야구 하기를 원한다.

boy

[bɔi]

소년

07

간장 두 스푼이 필요하다.

soy

[sɔi]

간장

08

장난감 차를 갖고 논다.

toy

[tɔi]

장난감

09

기뻐서 소리치고 있다.

joy

[dʒɔi]

기쁨

10

TV 보는 것을 즐긴다.

enjoy

[indʒɔ́i]

즐기다

_oi_, _oy의 단어들에서 oi와 oy는 장모음 [ɔi] 소리가 납니다. 이 발음은 길게 [오이] 소리를 내면 됩니다. 참고로 [ɔ] 발음은 입술을 동그랗게 만들어서 우리말의 [오]와 [아]의 중간 소리를 냅니다.

영어 단어를 완성하세요.

1	boil 삶다, 끓이다	b　　l	oi	
2	coil 코일, 고리	c　　l	oi	
3	soil 흙	s　　l	oi	
4	coin 동전	c　　n	oi	
5	point (손으로) 가리키다	p　　nt	oin	
6	boy 소년	b	y	
7	soy 간장	s	o	
8	toy 장난감	t	y	
9	joy 기쁨	j	o	
10	enjoy 즐기다	enj	joy	

Practice

A 단어의 알맞은 뜻을 선으로 연결한 후, 빈칸에 단어를 직접 써보세요.

1	toy	동전	→
2	coil	기쁨	→
3	joy	장난감	→
4	coin	코일, 고리	→

B 그림을 보고 알맞은 단어를 보기 에서 찾아 쓰세요.

보기

soy boy boil soil enjoy point

1 ______________

2 ______________

Soy

3 ______________

4 ______________

5 ______________

6 ______________

C 그림에 알맞은 단어를 보기 에서 찾아 문장을 완성하세요.

보기

joy toy coin coil

1 He plays with his ______________ car.

2 He buys a ______________ of wire.

3 I put the ______________ in the machine.

4 He is shouting with ______________.

D 우리말과 같도록 빈칸에 알맞은 단어를 골라 문장을 완성하세요.

1 The ______________ wants to play baseball. 그 **소년**은 야구 하기를 원한다.
(coil / boy)

2 I ______________ an egg in a pot. 나는 냄비에 계란을 **삶는다**.
(boil / joy)

3 I need two spoons of ______________. 나는 **간장** 두 스푼이 필요하다.
(coin / soy)

4 I ______________ watching TV. 나는 TV 보는 것을 **즐긴다**.
(enjoy / coil)

5 They ______________ to the north. 그들은 북쪽을 **(손으로) 가리킨다**.
(enjoy / point)

6 I cover the seeds with ______________. 나는 그 씨앗들을 **흙**으로 덮는다.
(soil / toy)

A 다음 영어 단어의 우리말 뜻을 쓰세요.

1 seed → ____________
2 bean → ____________
3 tray → ____________
4 stay → ____________
5 bowl → ____________
6 slow → ____________
7 soil → ____________
8 toad → ____________
9 mouse → ____________
10 house → ____________
11 peach → ____________
12 point → ____________
13 blouse → ____________
14 pillow → ____________

B 다음 우리말 뜻에 맞는 영어 단어를 쓰세요.

1 벌 → b____________
2 소년 → b____________
3 못 → n____________
4 비누 → s____________
5 장난감 → t____________
6 젖소, 암소 → c____________
7 동전 → c____________
8 꼬리 → t____________
9 가운 → g____________
10 점토, 찰흙 → c____________
11 낮은 → l____________
12 코일, 고리 → c____________
13 (나뭇)잎 → l____________
14 (작은) 배 → b____________

C 우리말과 같도록 괄호 안에서 알맞은 단어에 동그라미 하세요.

1 밖에 나가서 **놀자**. → Let's (gown / play) outside.

2 호루라기를 **불지** 마라. → Don't (blow / clay) a whistle.

3 나는 **간장** 두 스푼이 필요하다. → I need two spoons of (cow / soy).

4 나를 위해 바나나 **껍질을 벗겨** 주세요. → Please (peel / boil) a banana for me.

5 이것이 런던행 **기차**니? → Is this the (train / peach) for London?

6 그는 **이**를 닦고 있다. → He is brushing his (feet / teeth).

7 그는 **기뻐서** 소리치고 있다. → He is shouting with (joy / bee).

8 그 배는 다시 **항해할** 거다. → The ship will (leaf / sail) again.

9 **도로**에 차들이 달리고 있다. → Cars are driving along the (road / read).

10 그 물은 산 **아래로** 흐른다. → The water flows (soap / down) the mountain.

D 우리말과 같도록 빈칸에 알맞은 단어를 쓰세요.

1 나는 책을 많이 **읽는다**. → I r________ a lot of books.

2 오늘은 무슨 **요일**이니? → What d________ is it today?

3 나는 매일 **발**을 씻는다. → I wash my f________ every day.

4 **입**을 벌리세요. → Open your m________, please.

5 **코트**를 벗으세요. → Take off your c________, please.

6 내일은 **비가 올** 거다. → It will r________ tomorrow.

7 그녀는 **고기**를 안 먹는다. → She doesn't eat m________.

8 1부터 10까지 **세어**보자. → Let's c________ from one to ten.

9 나는 냄비에 계란을 **삶는다**. → I b________ an egg in a pot.

10 나는 TV 보는 것을 **즐긴다**. → I e________ watching TV.

long and short _oo_

01

이탈리아 음식을 좋아한다.

food

[fu:d]

음식

02

거위가 알을 품고 있다.

goose

[gu:s]

거위

03

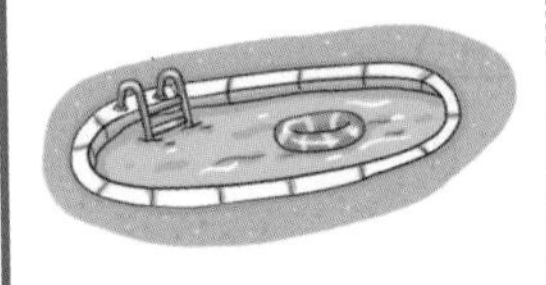

수영장에서 수영한다.

pool

[pu:l]

수영장

04

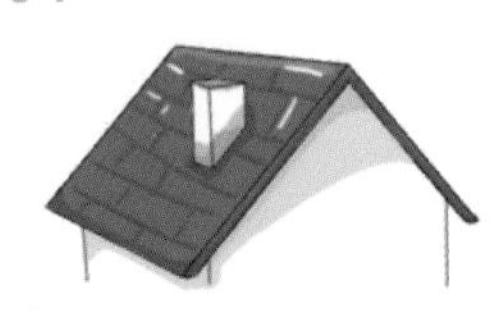

지붕을 수리하고 있다.

roof

[ru:f]

지붕

05

학교에 몇 시에 가니?

school

[sku:l]

학교

06

저녁을 요리할 거다.

cook

[kuk]

요리하다

07

발을 다쳤다.

foot

[fut]

발

08

모자가 달린 외투다.

hood

[hud]

(외투에 달린) 모자

09

그림들을 보세요.

look

[luk]

보다

10

불에 나무 좀 넣자.

wood

[wud]

나무, 목재

두 글자 모음 oo는 단어에 따라 장모음 [u:], 또는 단모음 [u] 소리가 납니다.
장모음 [u:]는 길게 [우-]로, 단모음 [u]는 짧게 [우] 소리를 내면 됩니다.

영어 단어를 완성하세요.

1	food 음식	f _ _ d	_ oo _	
2	goose 거위	g _ _ se	goo _ _	
3	pool 수영장	p _ _ l	_ oo _	
4	roof 지붕	r _ _ f	_ oo _	
5	school 학교	sch _ _ l	s _ _ ool	
6	cook 요리하다	c _ _ k	_ oo _	
7	foot 발	f _ _ t	_ oo _	
8	hood (외투에 달린) 모자	h _ _ d	_ oo _	
9	look 보다	l _ _ k	_ oo _	
10	wood 나무, 목재	w _ _ d	_ oo _	

Practice

A 단어의 알맞은 뜻을 선으로 연결한 후, 빈칸에 단어를 직접 써보세요.

1	wood	발	→
2	pool	지붕	→
3	roof	수영장	→
4	foot	나무, 목재	→

B 그림을 보고 알맞은 단어를 보기 에서 찾아 쓰세요.

보기 cook food hood look goose school

1 ______________________

2 ______________________

3 ______________________

4 ______________________

5 ______________________

6 ______________________

C 그림에 알맞은 단어를 보기 에서 찾아 문장을 완성하세요.

보기	foot	wood	roof	pool

1 She hurts her ______________.

2 He is fixing the ______________.

3 He swims in the ______________.

4 Let's put some ______________ on the fire.

D 우리말과 같도록 빈칸에 알맞은 단어를 골라 문장을 완성하세요.

1 I love Italian ______________. 나는 이탈리아 **음식**을 좋아한다.
(wood / food)

2 It is a coat with a ______________. 그것은 **모자**가 달린 외투다.
(hood / pool)

3 The ______________ is sitting on its eggs. 그 **거위**는 알을 품고 있다.
(foot / goose)

4 I will ______________ dinner. 내가 저녁을 **요리할** 거다.
(cook / roof)

5 Please ______________ at the pictures. 그 그림들을 **보세요**.
(pool / look)

6 What time do you go to ______________? 너는 **학교**에 몇 시에 가니?
(school / wood)

_ue and _ui_

01

파란 하늘을 봐라.

blue

[blu:]

파란(색)

02

그 사건의 단서를 찾았다.

clue

[klu:]

단서

03

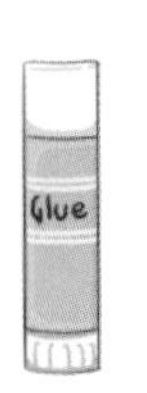

종이에 풀을 칠한다.

glue

[glu:]

풀

04

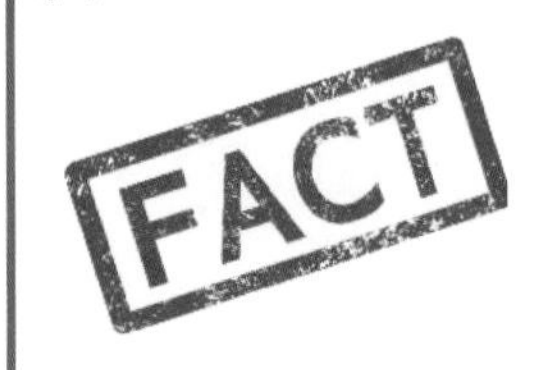

소문은 사실이다.

true

[tru:]

사실인

05

조각상에 손 대지 마라.

statue

[stǽtʃu:]

조각상

06

팔에 멍이 있다.

bruise

[bru:z]

멍

07

유람선 여행은 어떠니?

cruise

[kru:z]

유람선 여행

08

과일을 많이 먹는다.

fruit

[fru:t]

과일

09

오렌지 주스 한 잔 주세요.

juice

[dʒu:s]

주스, 즙

10

양복을 입고 있다.

suit

[sju:t]

양복, 정장

_ue, _ui_의 단어들에서 ue와 ui는 장모음 [u:] 소리가 납니다.
이 발음은 길게 [우-] 소리를 내면 됩니다.

영어 단어를 완성하세요.

1	blue 파란(색)	bl	ue	
2	clue 단서	cl	ue	
3	glue 풀	gl	ue	
4	true 사실인	tr	ue	
5	statue 조각상	stat	st ue	
6	bruise 멍	br se	uise	
7	cruise 유람선 여행	cr se	crui	
8	fruit 과일	fr t	rui	
9	juice 주스, 즙	j ce	ui e	
10	suit 양복, 정장	s t	ui	

Practice

A 단어의 알맞은 뜻을 선으로 연결한 후, 빈칸에 단어를 직접 써보세요.

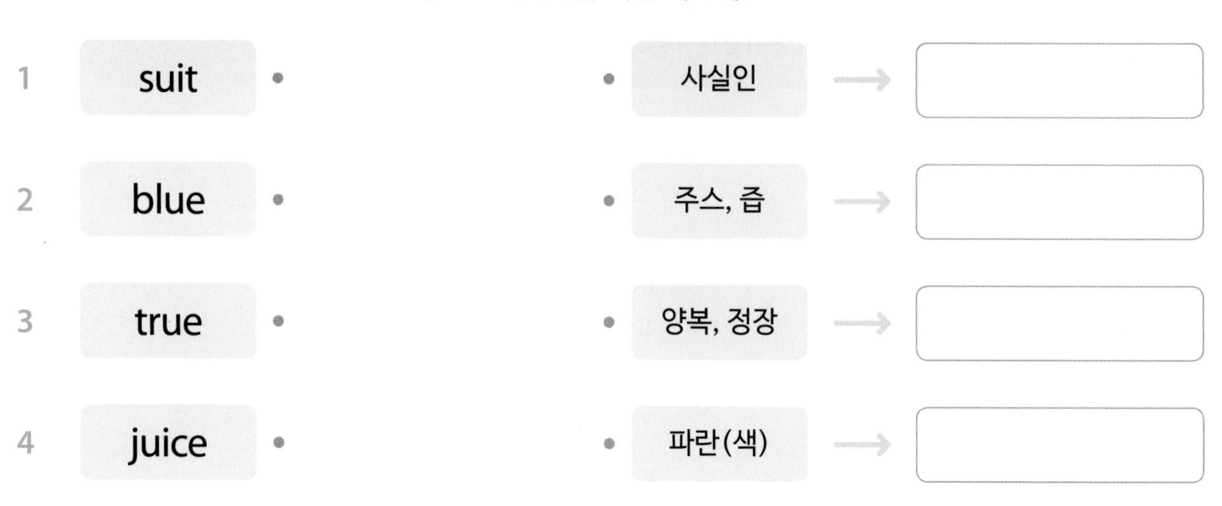

1 suit
2 blue
3 true
4 juice
사실인
주스, 즙
양복, 정장
파란(색)

B 그림을 보고 알맞은 단어를 보기 에서 찾아 쓰세요.

보기 clue glue fruit statue bruise cruise

1 Glue ____________

2 ____________

3 ____________

4 ____________

5 ____________

6 ____________

C 그림에 알맞은 단어를 보기 에서 찾아 문장을 완성하세요.

보기	suit	true	blue	juice

1 Look at the ______________ sky.

2 The rumor is ______________.

3 A glass of orange ______________, please.

4 He is wearing a ______________.

D 우리말과 같도록 빈칸에 알맞은 단어를 골라 문장을 완성하세요.

1 I eat a lot of ______________. 나는 **과일**을 많이 먹는다.
(true / fruit)

2 She puts ______________ on the paper. 그녀는 종이에 **풀**을 칠한다.
(glue / suit)

3 Don't touch the ______________. 그 **조각상**에 손 대지 마라.
(cruise / statue)

4 He has a ______________ on his arm. 그는 팔에 **멍**이 있다.
(bruise / blue)

5 He found a ______________ to the mystery. 그는 괴사건의 **단서**를 찾았다.
(juice / clue)

6 How about going on a ______________? **유람선 여행**은 어떠니?
(cruise / statue)

UNIT 28 _er, _ir_ and _ur_

01

제빵사가 빵을 굽는다.

baker

[béikər]

제빵사

02

농부가 젖소를 키운다.

farmer

[fá:rmər]

농부

03

사다리에 올라가지 마라.

ladder

[lǽdər]

사다리

04

새는 날개가 두 개다.

bird

[bə:rd]

새

05

신발이 더럽다.

dirty

[də́:rti]

더러운

06

셔츠가 크다.

shirt

[ʃə:rt]

셔츠

07

치마가 얼마니?

skirt

[skə:rt]

치마

08

토스트를 태우지 마세요.

burn

[bə:rn]

태우다

09

무릎을 다쳤다.

hurt

[hə:rt]

다치게 하다, 아프다

10

거북은 헤엄을 잘 친다.

turtle

[tə́:rtl]

거북

_er의 단어들에서 er은 [ər] 소리로, [얼]하고 발음합니다. [ə]는 입술을 상하로 조금 벌린 상태를 유지하면서 소리를 냅니다. _ir_, _ur_의 단어들에서 ir과 ur은 [əːr] 소리로, 좀 더 길게 [어-ㄹ] 소리를 냅니다.

영어 단어를 완성하세요.

1	baker 제빵사	bak	ker	
2	farmer 농부	farm	rmer	
3	ladder 사다리	ladd	dder	
4	bird 새	b d	ir	
5	dirty 더러운	d ty	ir y	
6	shirt 셔츠	sh t	irt	
7	skirt 치마	sk t	s ir	
8	burn 태우다	b n	ur	
9	hurt 다치게 하다, 아프다	h t	ur	
10	turtle 거북	t tle	tur e	

Practice

A 단어의 알맞은 뜻을 선으로 연결한 후, 빈칸에 단어를 직접 써보세요.

1	burn	치마	→
2	skirt	셔츠	→
3	shirt	사다리	→
4	ladder	태우다	→

B 그림을 보고 알맞은 단어를 보기 에서 찾아 쓰세요.

보기

bird hurt dirty baker farmer turtle

1 ______________

2 ______________

3 ______________

4 ______________

5 ______________

6 ______________

C 그림에 알맞은 단어를 보기 에서 찾아 문장을 완성하세요.

보기 burn shirt skirt ladder

1 How much is this ______________?

2 Please don't ______________ the toast.

3 This ______________ is big for me.

4 Don't climb up the ______________.

D 우리말과 같도록 빈칸에 알맞은 단어를 골라 문장을 완성하세요.

1 A ______________ has two wings. **새**는 날개가 두 개다.
(burn / bird)

2 I ______________ my knee. 나는 무릎을 **다쳤다**.
(hurt / dirty)

3 Your shoes are ______________. 네 신발은 **더럽**다.
(dirty / baker)

4 The ______________ keeps cows. 그 **농부**는 젖소를 키운다.
(farmer / skirt)

5 A ______________ swims well. **거북**은 헤엄을 잘 친다.
(ladder / turtle)

6 The ______________ bakes bread. 그 **제빵사**는 빵을 굽는다.
(shirt / baker)

_ar_ and _or_

01

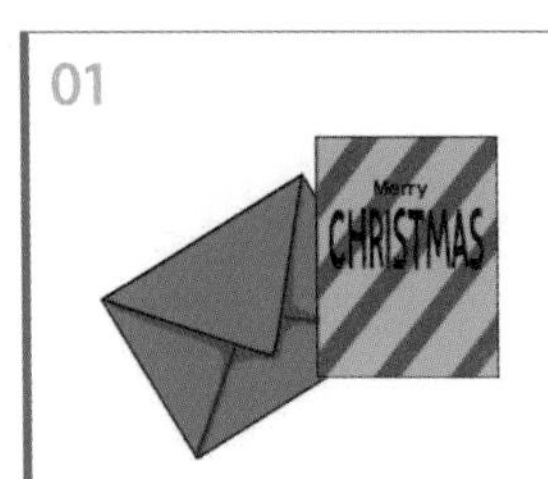

크리스마스 카드 보내줘라.

card

[kɑːrd]

카드

02

쇼핑 카트에 음식을 담는다.

cart

[kɑːrt]

카트, 수레

03

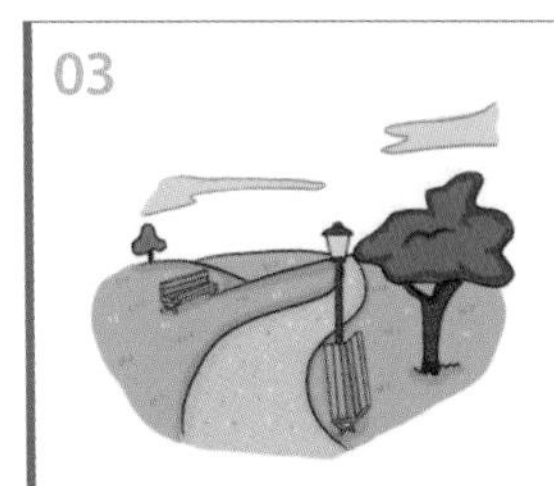

개를 공원에서 산책시켜라.

park

[pɑːrk]

공원

04

남동생이 매우 똑똑하다.

smart

[smɑːrt]

똑똑한

05

경주를 시작하자.

start

[stɑːrt]

시작하다

06

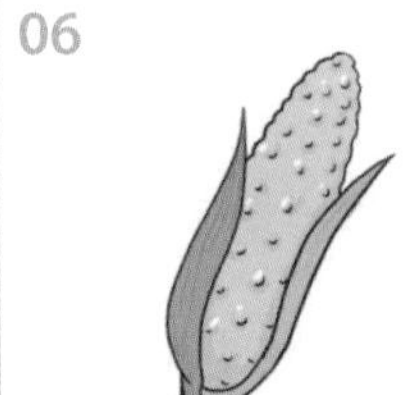

뒤뜰에서 옥수수를 키운다.

corn

[kɔːrn]

옥수수

07

포크로 케이크를 먹는다.

fork

[fɔːrk]

포크

08

40

아버지는 40세다.

forty

[fɔ́ːrti]

40, 마흔

09

코뿔소가 뿔이 한 개다.

horn

[hɔːrn]

(양, 소 등의) 뿔

10

여동생은 키가 작다.

short

[ʃɔːrt]

키가 작은, 짧은

_ar_의 단어들에서 ar은 [ɑːr] 소리로, 길게 [아-ㄹ]하고 발음합니다.
_or_의 단어들에서 or은 [ɔːr] 소리로, 길게 [오-ㄹ]하고 발음합니다.

영어 단어를 완성하세요.

1	card 카드	c d	ar	
2	cart 카트, 수레	c t	ar	
3	park 공원	p k	ar	
4	smart 똑똑한	sm t	art	
5	start 시작하다	st t	art	
6	corn 옥수수	c n	or	
7	fork 포크	f k	or	
8	forty 40, 마흔	f ty	for	
9	horn (양, 소 등의) 뿔	h n	or	
10	short 키가 작은, 짧은	sh t	s or	

Practice

A 단어의 알맞은 뜻을 선으로 연결한 후, 빈칸에 단어를 직접 써보세요.

1	cart	카드	→
2	card	포크	→
3	fork	40, 마흔	→
4	forty	카트, 수레	→

B 그림을 보고 알맞은 단어를 보기 에서 찾아 쓰세요.

보기 park corn horn short start smart

1 ____________

2 ____________

3 ____________

4 ____________

5 ____________

6 ____________

C 그림에 알맞은 단어를 보기 에서 찾아 문장을 완성하세요.

보기			
card	fork	cart	forty

1 I eat cake with a ______________.

2 Send me a Christmas ______________.

3 My father is 40 ______________ years old.

4 I put food in my shopping ______________.

D 우리말과 같도록 빈칸에 알맞은 단어를 골라 문장을 완성하세요.

1 My sister is ______________. 내 여동생은 **키가 작**다.
(smart / short)

2 Let's ______________ the race. 경주를 **시작하**자.
(start / forty)

3 Your brother is so ______________. 네 남동생은 매우 **똑똑하**다.
(smart / short)

4 Walk your dog in the ______________. 네 개를 **공원**에서 산책시켜라.
(fork / park)

5 This rhino has one ______________. 이 코뿔소는 **뿔**이 한 개다.
(horn / card)

6 He grows ______________ in the backyard. 그는 뒤뜰에서 **옥수수**를 키운다.
(cart / corn)

l blend – bl_, cl_, fl_

01

머리가 검은색이다.

black

[blæk]

검은(색)

02

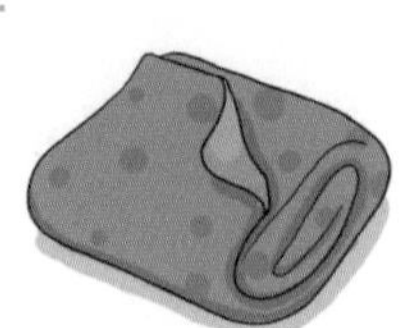

아기에게 담요를 덮어줘라.

blanket

[blǽŋkit]

담요

03

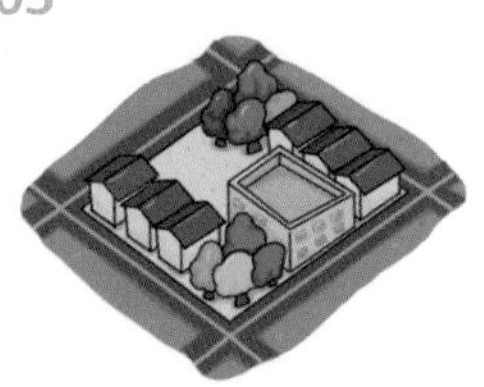

그 구역 주변을 걸었다.

block

[blɑk]

구역, 블록

04

함께 손뼉 치자!

clap

[klæp]

손뼉을 치다

05

자명종 시계가 울린다.

clock

[klɑk]

시계

06

해가 구름 뒤로 들어간다.

cloud

[klaud]

구름

07

광대는 사람들을 웃게 한다.

clown

[klaun]

광대

08

깃발이 휘날리고 있다.

flag

[flæg]

깃발

09

밀가루와 우유를 섞으세요.

flour

[fláuər]

밀가루

10

꽃을 그리고 있다.

flower

[fláuər]

꽃

bl_, cl_, fl_의 단어들은 첫 글자와 자음 l이 함께 연결되어 소리가 납니다.
즉 bl은 [블르], cl은 [클르], fl은 [플르]와 유사한 소리가 납니다.

영어 단어를 완성하세요.

1	black 검은(색)	_ _ ack	bl _ _ k	
2	blanket 담요	_ _ anket	blank _ _	
3	block 구역, 블록	_ _ ock	bl _ _ k	
4	clap 손뼉을 치다	_ _ ap	cl _ _	
5	clock 시계	_ _ ock	cl _ c _	
6	cloud 구름	_ _ oud	cl _ _ d	
7	clown 광대	_ _ own	clo _ _	
8	flag 깃발	_ _ ag	fl _ _	
9	flour 밀가루	_ _ our	flo _ _	
10	flower 꽃	_ _ ower	flow _ _	

Practice

A 단어의 알맞은 뜻을 선으로 연결한 후, 빈칸에 단어를 직접 써보세요.

1	flag	시계	→
2	black	깃발	→
3	clock	구름	→
4	cloud	검은(색)	→

B 그림을 보고 알맞은 단어를 보기 에서 찾아 쓰세요.

보기					
clap	clown	flour	block	flower	blanket

1 ______________

2 Flour ______________

3 ______________

4 ______________

5 ______________

6 ______________

C 그림에 알맞은 단어를 보기 에서 찾아 문장을 완성하세요.

보기	flag	clock	cloud	black

1 The ______________ is flying.

2 He has ______________ hair.

3 My alarm ______________ is going off.

4 The sun goes behind a ______________.

D 우리말과 같도록 빈칸에 알맞은 단어를 골라 문장을 완성하세요.

1 Let's ______________ together! 함께 **손뼉 치**자!
(flag / clap)

2 I walked around the ______________. 나는 그 **구역** 주변을 걸었다.
(block / clock)

3 I am drawing a ______________. 나는 **꽃**을 그리고 있다.
(blanket / flower)

4 Mix ______________ and milk, please. **밀가루**와 우유를 섞으세요.
(flour / cloud)

5 The ______________ makes people laugh. 그 **광대**는 사람들을 웃게 한다.
(black / clown)

6 Put a ______________ over the baby. 그 아기에게 **담요**를 덮어줘라.
(blanket / flower)

A 다음 영어 단어의 우리말 뜻을 쓰세요.

1 foot → ______
2 horn → ______
3 roof → ______
4 clock → ______
5 goose → ______
6 turtle → ______
7 flour → ______
8 farmer → ______
9 fruit → ______
10 ladder → ______
11 flower → ______
12 statue → ______
13 blanket → ______
14 clown → ______

B 다음 우리말 뜻에 맞는 영어 단어를 쓰세요.

1 새 → b______
2 풀 → g______
3 깃발 → f______
4 카드 → c______
5 셔츠 → s______
6 공원 → p______
7 음식 → f______
8 포크 → f______
9 주스, 즙 → j______
10 제빵사 → b______
11 옥수수 → c______
12 요리하다 → c______
13 파란(색) → b______
14 검은(색) → b______

C 우리말과 같도록 괄호 안에서 알맞은 단어에 동그라미 하세요.

1 나는 쇼핑 **카트**에 음식을 담는다. → I put food in my shopping (card / cart).

2 이 **치마**는 얼마니? → How much is this (skirt / shirt)?

3 해가 **구름** 뒤로 들어간다. → The sun goes behind a (flour / cloud).

4 경주를 **시작하**자. → Let's (smart / start) the race.

5 그것은 **모자**가 달린 외투다. → It is a coat with a (hood / suit).

6 그는 괴사건의 **단서**를 찾았다. → He found a (true / clue) to the mystery.

7 그는 팔에 **멍**이 있다. → He has a (statue / bruise) on his arm.

8 나는 그 **구역** 주변을 걸었다. → I walked around the (block / ladder).

9 토스트를 **태우지** 마세요. → Please don't (hurt / burn) the toast.

10 불에 **나무** 좀 넣자. → Let's put some (food / wood) on the fire.

D 우리말과 같도록 빈칸에 알맞은 단어를 쓰세요.

1 내 여동생은 **키가 작**다. → My sister is s__________.

2 나는 무릎을 **다쳤다**. → I h__________ my knee.

3 그 그림들을 **보세요**. → Please l__________ at the pictures.

4 네 신발은 **더럽**다. → Your shoes are d__________.

5 네 남동생은 매우 **똑똑하**다. → Your brother is so s__________.

6 그는 **수영장**에서 수영한다. → He swims in the p__________.

7 그 소문은 **사실이**다. → The rumor is t__________.

8 내 아버지는 **40**세다. → My father is f__________ years old.

9 너는 **학교**에 몇 시에 가니? → What time do you go to s__________?

10 함께 **손뼉 치**자! → Let's c__________ together!

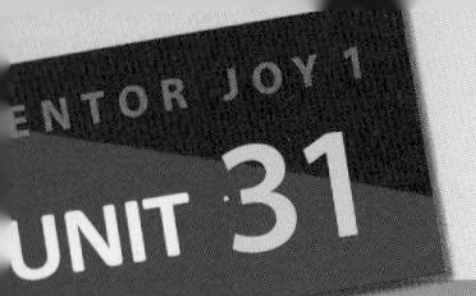

l blend – gl_, pl_, sl_

01

소식을 들으니 기쁘다.

glad

[glæd]

기쁜

02

방에 지구본이 있다.

globe

[gloub]

지구본

03

장갑 한 짝이 어디 있니?

glove

[glʌv]

장갑

04

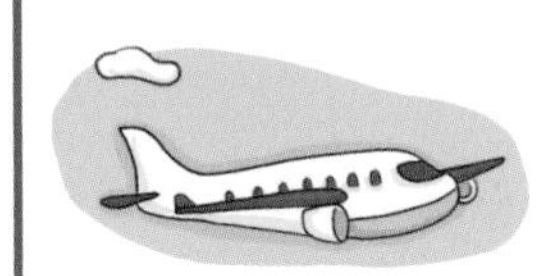

런던에 비행기로 갈 거니?

plane

[plein]

비행기

05

식물은 공기를 맑게 한다.

plant

[plænt]

식물

06

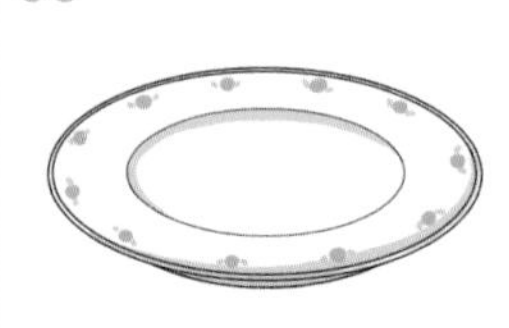

디저트용 접시다.

plate

[pleit]

접시

07

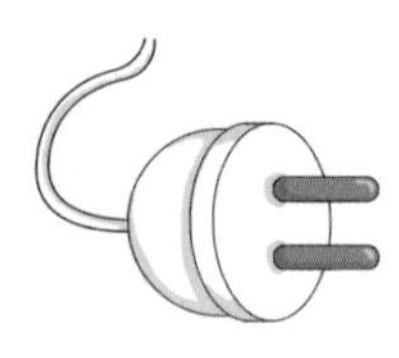

플러그를 뽑아라.

plug

[plʌg]

플러그

08

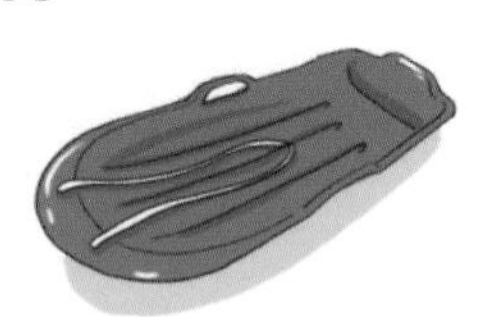

썰매 타기는 재미있다.

sled

[sled]

썰매

09

잘 잤니?

sleep

[sli:p]

(잠을) 자다

10

미끄러지지 않게 조심해라.

slip

[slip]

미끄러지다

gl_, pl_, sl_의 단어들은 첫 글자와 자음 l이 함께 연결되어 소리가 납니다.
즉 gl은 [글르], pl은 [플르], sl은 [슬르]와 유사한 소리가 납니다.

영어 단어를 완성하세요.

1	glad 기쁜	ad	gl	
2	globe 지구본	obe	gl e	
3	glove 장갑	ove	glo	
4	plane 비행기	ane	pl e	
5	plant 식물	ant	pla	
6	plate 접시	ate	pl e	
7	plug 플러그	ug	pl	
8	sled 썰매	ed	sl	
9	sleep (잠을) 자다	eep	sl p	
10	slip 미끄러지다	ip	sl	

Practice

A 단어의 알맞은 뜻을 선으로 연결한 후, 빈칸에 단어를 직접 써보세요.

1	plug	썰매	→	
2	sled	장갑	→	
3	glove	접시	→	
4	plate	플러그	→	

B 그림을 보고 알맞은 단어를 보기 에서 찾아 쓰세요.

보기 slip glad sleep plane globe plant

1 __________

2 __________

3 __________

4 __________

5 __________

6 __________

C 그림에 알맞은 단어를 보기 에서 찾아 문장을 완성하세요.

보기	sled	plug	glove	plate

1 Pull the ____________ out.

2 It is a dessert ____________.

3 Where is the pair to this ____________?

4 Riding a ____________ is fun.

D 우리말과 같도록 빈칸에 알맞은 단어를 골라 문장을 완성하세요.

1 I am ____________ to hear the news. 나는 그 소식을 들으니 **기쁘**다.
(sled / glad)

2 Did you ____________ well? 너는 잘 **잤니**?
(sleep / plate)

3 I have a ____________ in my room. 내 방에는 **지구본**이 있다.
(plant / globe)

4 Are you going to London by ____________? 너는 런던에 **비행기**로 갈 거니?
(plane / glove)

5 Be careful not to ____________. **미끄러지지** 않게 조심해라.
(plug / slip)

6 A ____________ cleans the air. **식물**은 공기를 맑게 한다.
(plant / globe)

r blend – br_, cr_, fr_

01

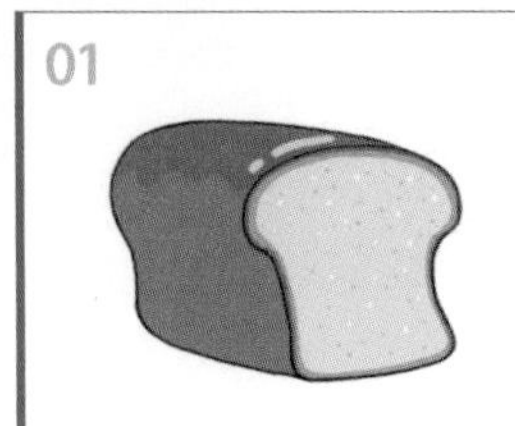

빵 좀 먹을래?

bread

[bred]

빵

02

벽돌로 담을 쌓고 있다.

brick

[brik]

벽돌

03

부드러운 솔을 쓰세요.

brush

[brʌʃ]

솔, 붓

04

게는 옆으로 걷는다.

crab

[kræb]

게

05

파란색 크레용이 없다.

crayon

[kréiɑn]

크레용

06

왕은 왕관을 쓰고 있다.

crown

[kraun]

왕관

07

울지 마라.

cry

[krai]

울다

08

새는 이제 자유롭다.

free

[friː]

자유로운

09

신선한 채소를 판다.

fresh

[freʃ]

신선한

10

가장 친한 친구다.

friend

[frend]

친구

br_, cr_, fr_의 단어들은 첫 글자와 자음 r이 함께 연결되어 소리가 납니다.
즉 br은 [브르], cr은 [크르], fr은 [프르]와 유사한 소리가 납니다.

영어 단어를 완성하세요.

1	bread 빵	__ __ ead	bre __ __	
2	brick 벽돌	__ __ ick	br __ __ k	
3	brush 솔, 붓	__ __ ush	br __ __ h	
4	crab 게	__ __ ab	cr __ __	
5	crayon 크레용	__ __ ayon	cray __ __	
6	crown 왕관	__ __ own	cr __ __ n	
7	cry 울다	__ __ y	c __ __	
8	free 자유로운	__ __ ee	fr __ __	
9	fresh 신선한	__ __ esh	fre __ __	
10	friend 친구	__ __ iend	fr __ __ nd	

Practice

A 단어의 알맞은 뜻을 선으로 연결한 후, 빈칸에 단어를 직접 써보세요.

1	fresh	빵	→	
2	brush	신선한	→	
3	bread	왕관	→	
4	crown	솔, 붓	→	

B 그림을 보고 알맞은 단어를 보기 에서 찾아 쓰세요.

보기 cry free brick crab crayon friend

1 ____________

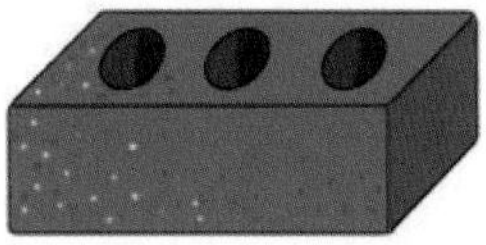

2 ____________

3 ____________

4 ____________

5 ____________

6 ____________

C 그림에 알맞은 단어를 보기 에서 찾아 문장을 완성하세요.

보기	fresh	brush	crown	bread

1 Use a soft ______________, please.

2 The king is wearing a ______________.

3 Do you want some ______________?

4 He sells ______________ vegetables.

D 우리말과 같도록 빈칸에 알맞은 단어를 골라 문장을 완성하세요.

1 Don't ______________. **울지** 마라.
(free / cry)

2 The bird is now ______________. 그 새는 이제 **자유롭**다.
(free / fresh)

3 He is building a ______________ wall. 그는 **벽돌**로 담을 쌓고 있다.
(crown / brick)

4 A ______________ walks sideways. **게**는 옆으로 걷는다.
(crab / bread)

5 I don't have a blue ______________. 나는 파란색 **크레용**이 없다.
(brush / crayon)

6 He is my best ______________. 그는 나의 가장 친한 **친구**다.
(friend / crown)

r blend – dr_, pr_, tr_

01

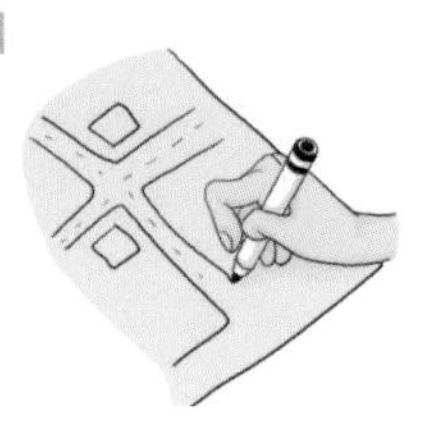

약도 좀 그려줄래?

draw

[drɔː]

그리다

02

무서운 꿈을 꿨다.

dream

[driːm]

꿈, 희망

03

뭐 마실래?

drink

[driŋk]

마시다

04

북을 치고 있다.

drum

[drʌm]

북, 드럼

05

선물 고마워.

present

[prézənt]

선물

06

정말 예뻐 보인다.

pretty

[príti]

예쁜

07

젊은 왕자는 용감했다.

prince

[prins]

왕자

08

쓰레기 좀 내다 버려줄래?

trash

[træʃ]

쓰레기

09

나무를 심고 있다.

tree

[triː]

나무

10

삼촌은 트럭 운전사다.

truck

[trʌk]

트럭

dr_, pr_, tr_의 단어들은 첫 글자와 자음 r이 함께 연결되어 소리가 납니다.
즉 dr은 [드르], pr은 [프르], tr은 [트르]와 유사한 소리가 납니다.

영어 단어를 완성하세요.

1	draw 그리다	aw	dr	
2	dream 꿈, 희망	eam	dre	
3	drink 마시다	ink	dr k	
4	drum 북, 드럼	um	dr	
5	present 선물	esent	prese	
6	pretty 예쁜	etty	pr ty	
7	prince 왕자	ince	pr ce	
8	trash 쓰레기	ash	tra	
9	tree 나무	ee	tr	
10	truck 트럭	uck	tru	

Practice

A 단어의 알맞은 뜻을 선으로 연결한 후, 빈칸에 단어를 직접 써보세요.

1	tree	나무	→	
2	drum	선물	→	
3	trash	쓰레기	→	
4	present	북, 드럼	→	

B 그림을 보고 알맞은 단어를 보기 에서 찾아 쓰세요.

보기: draw drink truck pretty prince dream

1 ____________

2 ____________

3 ____________

4 ____________

5 ____________

6 ____________

C 그림에 알맞은 단어를 보기 에서 찾아 문장을 완성하세요.

보기			
drum	tree	trash	present

1 She is planting a ________________.

2 He is beating a ________________.

3 Thanks for the ________________.

4 Can you take out the ________________?

D 우리말과 같도록 빈칸에 알맞은 단어를 골라 문장을 완성하세요.

1 What do you want to ________________? 너는 뭐 **마실래**?
(trash / drink)

2 You look so ________________. 네가 정말 **예뻐** 보인다.
(pretty / dream)

3 Can you ________________ me a map? 네가 내게 약도 좀 **그려줄래**?
(tree / draw)

4 My uncle is a ________________ driver. 나의 삼촌은 **트럭** 운전사다.
(truck / drum)

5 The young ________________ was brave. 그 젊은 **왕자**는 용감했다.
(trash / prince)

6 I had a terrible ________________. 나는 무서운 **꿈**을 꿨다.
(dream / present)

s blend – sk_, sm_, sn_

01

스케이트 탈 수 있니?

skate

[skeit]

스케이트를 타다

02

피부가 까무잡잡하다.

skin

[skin]

피부

03

식사를 거르지 마라.

skip

[skip]

거르다

04

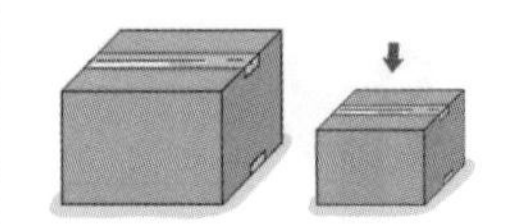

작은 상자가 필요하다.

small

[smɔːl]

작은

05

꽃에서 좋은 냄새가 난다.

smell

[smel]

냄새가 나다

06

얼굴에 미소가 돈다.

smile

[smail]

미소, 웃다

07

담요는 촉감이 부드럽다.

smooth

[smuːð]

부드러운

08

달팽이는 천천히 움직인다.

snail

[sneil]

달팽이

09

뱀처럼 보인다.

snake

[sneik]

뱀

10

눈 속에서 놀고 있다.

snow

[snou]

눈, 눈이 오다

sk_, sm_, sn_의 단어들은 첫 글자 s와 다음으로 나오는 글자가 함께 연결되어 소리가 납니다.
즉 sk는 [스크], sm은 [스므], sn은 [스느]와 유사한 소리가 납니다.

영어 단어를 완성하세요.

1	skate 스케이트를 타다	__ __ ate	ska __ __	
2	skin 피부	__ __ in	sk __ __	
3	skip 거르다	__ __ ip	sk __ __	
4	small 작은	__ __ all	sm __ __ l	
5	smell 냄새가 나다	__ __ ell	sm __ __ l	
6	smile 미소, 웃다	__ __ ile	sm __ __ e	
7	smooth 부드러운	__ __ ooth	sm __ __ th	
8	snail 달팽이	__ __ ail	sn __ __ l	
9	snake 뱀	__ __ ake	sna __ __	
10	snow 눈, 눈이 오다	__ __ ow	sn __ __	

Practice

A 단어의 알맞은 뜻을 선으로 연결한 후, 빈칸에 단어를 직접 써보세요.

1	skin	•	• 달팽이 →	
2	snail	•	• 피부 →	
3	smile	•	• 뱀 →	
4	snake	•	• 미소, 웃다 →	

B 그림을 보고 알맞은 단어를 보기 에서 찾아 쓰세요.

보기 skip small smell snow skate smooth

1 ______________ 2 ______________ 3 ______________

4 ______________ 5 ______________ 6 ______________

C 그림에 알맞은 단어를 보기 에서 찾아 문장을 완성하세요.

보기	skin	snail	smile	snake

1 A ______________ moves slowly.

2 He has dark ______________.

3 He has a ______________ on his face.

4 That looks like a ______________.

D 우리말과 같도록 빈칸에 알맞은 단어를 골라 문장을 완성하세요.

1 I need a ______________ box. 나는 **작은** 상자가 필요하다.
(snail / small)

2 Can you ______________? 너는 **스케이트 탈** 수 있니?
(skate / smile)

3 Don't ______________ your meals. 식사를 **거르지** 마라.
(snow / skip)

4 We are playing in the ______________. 우리는 **눈** 속에서 놀고 있다.
(snow / skin)

5 The flowers ______________ good. 그 꽃들에서 좋은 **냄새가 난다**.
(skate / smell)

6 This blanket feels ______________. 이 담요는 촉감이 **부드럽**다.
(snake / smooth)

s blend – sp_, st_, sw_

01

거미는 다리가 8개다.

spider
[spáidər]
거미

02
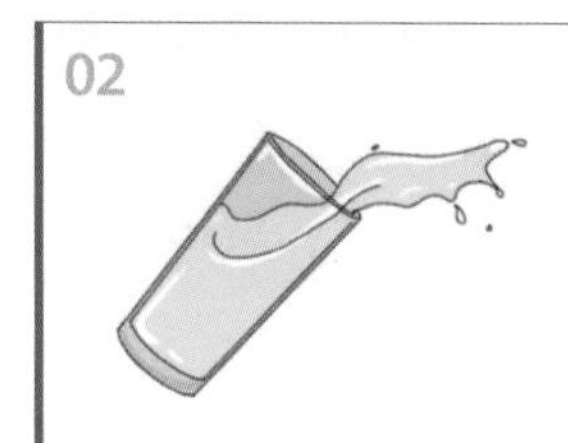

물을 흘리지 않게 조심해라.

spill
[spil]
(액체를) 흘리다

03

수저로 수프를 먹는다.

spoon
[spu:n]
수저

04

우표 앨범이다.

stamp
[stæmp]
우표

05

일어서 주세요.

stand
[stænd]
서다, 서 있다

06
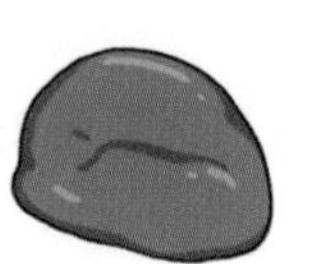

돌멩이가 둥글다.

stone
[stoun]
돌멩이

07

힘이 센 남자다.

strong
[strɔ(:)ŋ]
힘이 센

08

백조가 연못에 있다.

swan
[swɑn]
백조

09

바닥을 쓸어야겠다.

sweep
[swi:p]
쓸다

10

함께 수영하자!

swim
[swim]
수영하다

sp_, st_, sw_의 단어들은 첫 글자 s와 다음으로 나오는 글자가 함께 연결되어 소리가 납니다.
즉 sp는 [스프], st는 [스트], sw는 [스우]와 유사한 소리가 납니다.

영어 단어를 완성하세요.

1	spider 거미	_ _ ider	spid _ _	
2	spill (액체를) 흘리다	_ _ ill	sp _ _ l	
3	spoon 수저	_ _ oon	sp _ _ n	
4	stamp 우표	_ _ amp	st _ _ p	
5	stand 서다, 서 있다	_ _ and	sta _ _	
6	stone 돌멩이	_ _ one	st _ _ e	
7	strong 힘이 센	_ _ rong	stro _ _	
8	swan 백조	_ _ an	sw _ _	
9	sweep 쓸다	_ _ eep	sw _ _ p	
10	swim 수영하다	_ _ im	sw _ _	

Practice

A 단어의 알맞은 뜻을 선으로 연결한 후, 빈칸에 단어를 직접 써보세요.

1	swan	수저	→	
2	stone	우표	→	
3	stamp	백조	→	
4	spoon	돌멩이	→	

B 그림을 보고 알맞은 단어를 보기 에서 찾아 쓰세요.

보기 swim sweep stand strong spill spider

1 ______________

2 ______________

3 ______________

4 ______________

5 ______________

6 ______________

C 그림에 알맞은 단어를 보기 에서 찾아 문장을 완성하세요.

보기	swan	stamp	stone	spoon

1 It is a ______________ album.

2 I eat soup with a ______________.

3 The ______________ is in the pond.

4 This ______________ is round.

D 우리말과 같도록 빈칸에 알맞은 단어를 골라 문장을 완성하세요.

1 Please ______________ up. **일어서** 주세요.
(stand / spoon)

2 Let's ______________ together! 함께 **수영하**자!
(swim / stone)

3 He is a ______________ man. 그는 **힘이 센** 남자다.
(spoon / strong)

4 I need to ______________ the floor. 나는 바닥을 **쓸어야**겠다.
(sweep / stamp)

5 Be careful not to ______________ the water. 그 물을 **흘리지** 않게 조심해라.
(swan / spill)

6 A ______________ has eight legs. **거미**는 다리가 8개다.
(stamp / spider)

Review Unit 31 - 35

A 다음 영어 단어의 우리말 뜻을 쓰세요.

1 crab → ______
2 small → ______
3 globe → ______
4 plane → ______
5 spider → ______
6 pretty → ______
7 plate → ______
8 trash → ______
9 brick → ______
10 snail → ______
11 stamp → ______
12 prince → ______
13 friend → ______
14 crown → ______

B 다음 우리말 뜻에 맞는 영어 단어를 쓰세요.

1 울다 → c______
2 나무 → t______
3 플러그 → p______
4 썰매 → s______
5 백조 → s______
6 장갑 → g______
7 피부 → s______
8 수저 → s______
9 북, 드럼 → d______
10 수영하다 → s______
11 솔, 붓 → b______
12 트럭 → t______
13 돌멩이 → s______
14 눈, 눈이 오다 → s______

C 우리말과 같도록 괄호 안에서 알맞은 단어에 동그라미 하세요.

1 너는 잘 **잤니**? → Did you (sleep / drink) well?

2 식사를 **거르지** 마라. → Don't (cry / skip) your meals.

3 그 새는 이제 **자유롭**다. → The bird is now (free / tree).

4 그는 얼굴에 **미소**가 돈다. → He has a (smell / smile) on his face.

5 나는 바닥을 **쓸어야**겠다. → I need to (sweep / stand) the floor.

6 그는 **신선한** 채소를 판다. → He sells (trash / fresh) vegetables.

7 이 담요는 촉감이 **부드럽**다. → This blanket feels (dream / smooth).

8 **선물** 고마워. → Thanks for the (present / stone).

9 나는 파란색 **크레용**이 없다. → I don't have a blue (brush / crayon).

10 그 물을 **흘리지** 않게 조심해라. → Be careful not to (spill / slip) the water.

D 우리말과 같도록 빈칸에 알맞은 단어를 쓰세요.

1 네가 내게 약도 좀 **그려줄래**? → Can you d__________ me a map?

2 나는 그 소식을 들으니 **기쁘**다. → I am g__________ to hear the news.

3 **일어서** 주세요. → Please s__________ up.

4 너는 **스케이트 탈** 수 있니? → Can you s__________?

5 너는 뭐 **마실래**? → What do you want to d__________?

6 그는 **힘이 센** 남자다. → He is a s__________ man.

7 **식물**은 공기를 맑게 한다. → A p__________ cleans the air.

8 그 꽃들에서 좋은 **냄새가 난다**. → The flowers s__________ good.

9 **미끄러지지** 않게 조심해라. → Be careful not to s__________.

10 나는 무서운 **꿈**을 꿨다. → I had a terrible d__________.

ending blend – _nd, _nt

01

철사를 구부리자.

bend

[bend]

구부리다

02

안경을 찾을 수 없다.

find

[faind]

찾다

03

친구에게 친절하다.

kind

[kaind]

친절한

04

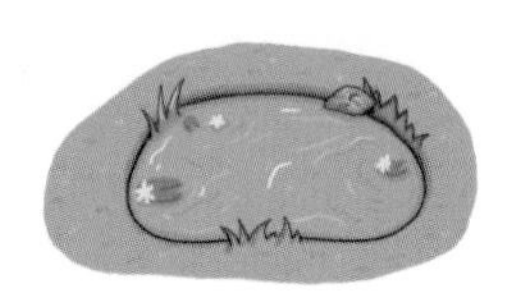

공원에는 연못이 있다.

pond

[pɑnd]

연못

05

바람이 세게 불고 있다.

wind

[wind]

바람

06

1 센트도 없다.

cent

[sent]

센트

07

사냥하는 것을 좋아한다.

hunt

[hʌnt]

사냥하다

08

요리할 때 박하를 쓴다.

mint

[mint]

박하

09

빨간 페인트가 더 필요하다.

paint

[peint]

페인트, 칠하다

10

마실 것을 원한다.

want

[wɑnt]

원하다

_nd, _nt의 단어들에서 n은 단어의 마지막 글자와 함께 연결되어 소리가 납니다.
즉 nd는 [ㄴ드], nt는 [ㄴ트]와 유사한 소리가 납니다.

영어 단어를 완성하세요.

1	bend 구부리다	be	nd	
2	find 찾다	fi	nd	
3	kind 친절한	ki	nd	
4	pond 연못	po	nd	
5	wind 바람	wi	nd	
6	cent 센트	ce	nt	
7	hunt 사냥하다	hu	nt	
8	mint 박하	mi	nt	
9	paint 페인트, 칠하다	pai	int	
10	want 원하다	wa	nt	

Practice

A 단어의 알맞은 뜻을 선으로 연결한 후, 빈칸에 단어를 직접 써보세요.

	단어		뜻		
1	cent	•	• 바람	→	
2	mint	•	• 센트	→	
3	wind	•	• 연못	→	
4	pond	•	• 박하	→	

B 그림을 보고 알맞은 단어를 보기 에서 찾아 쓰세요.

보기 find kind bend hunt want paint

1 ____________

2 ____________

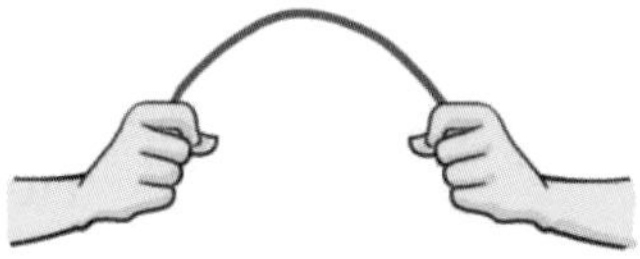

3 ____________

4 ____________

5 ____________

6 ____________

C 그림에 알맞은 단어를 보기 에서 찾아 문장을 완성하세요.

보기	cent	mint	wind	pond

1 The ______________ is blowing hard.

2 She doesn't have a ______________.

3 There is a ______________ in the park.

4 I use ______________ to cook food.

D 우리말과 같도록 빈칸에 알맞은 단어를 골라 문장을 완성하세요.

1 He likes to ______________. 그는 **사냥하는** 것을 좋아한다.
(wind / hunt)

2 I can't ______________ my glasses. 나는 안경을 **찾을** 수 없다.
(find / cent)

3 I need more red ______________. 나는 빨간 **페인트**가 더 필요하다.
(pond / paint)

4 He is ______________ to his friends. 그는 친구들에게 **친절하**다.
(kind / mint)

5 I ______________ something to drink. 나는 마실 것을 **원한다**.
(wind / want)

6 Let's ______________ the wire. 철사를 **구부리**자.
(bend / paint)

ending blend – _ng, _nk

01

옷을 옷장에 건다.

hang

[hæŋ]

걸다

02

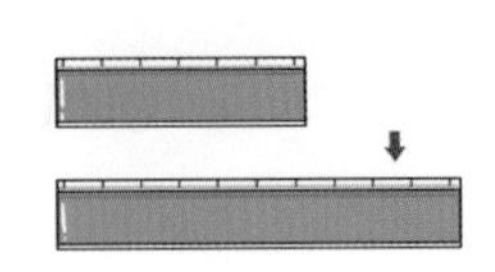

자가 얼마나 길어?

long

[lɔ(:)ŋ]

긴

03

노래 좀 불러줄래?

sing

[siŋ]

노래하다

04

새는 날개가 부러졌다.

wing

[wiŋ]

날개

05

피터는 어린아이다.

young

[jʌŋ]

어린

06

은행에서 일한다.

bank

[bæŋk]

은행

07

스컹크는 냄새가 지독하다.

skunk

[skʌŋk]

스컹크

08

부모님께 감사하고 싶다.

thank

[θæŋk]

감사하다

09

어떻게 생각하니?

think

[θiŋk]

생각하다

10

모든 친구에게 윙크한다.

wink

[wiŋk]

윙크하다

_ng의 단어들에서 ng는 [ŋ] 소리로, 입술을 모아 옆으로 벌리면서 [응] 소리를 냅니다.
그리고 _nk의 단어들에서 nk는 [ŋk] 소리가 나는데, 이는 [ㅇ크]와 유사한 발음입니다.

영어 단어를 완성하세요.

1	hang 걸다	ha	ng	
2	long 긴	lo	ng	
3	sing 노래하다	si	ng	
4	wing 날개	wi	ng	
5	young 어린	you	ung	
6	bank 은행	ba	nk	
7	skunk 스컹크	sku	s nk	
8	thank 감사하다	tha	t nk	
9	think 생각하다	thi	ink	
10	wink 윙크하다	wi	nk	

Practice

A 단어의 알맞은 뜻을 선으로 연결한 후, 빈칸에 단어를 직접 써보세요.

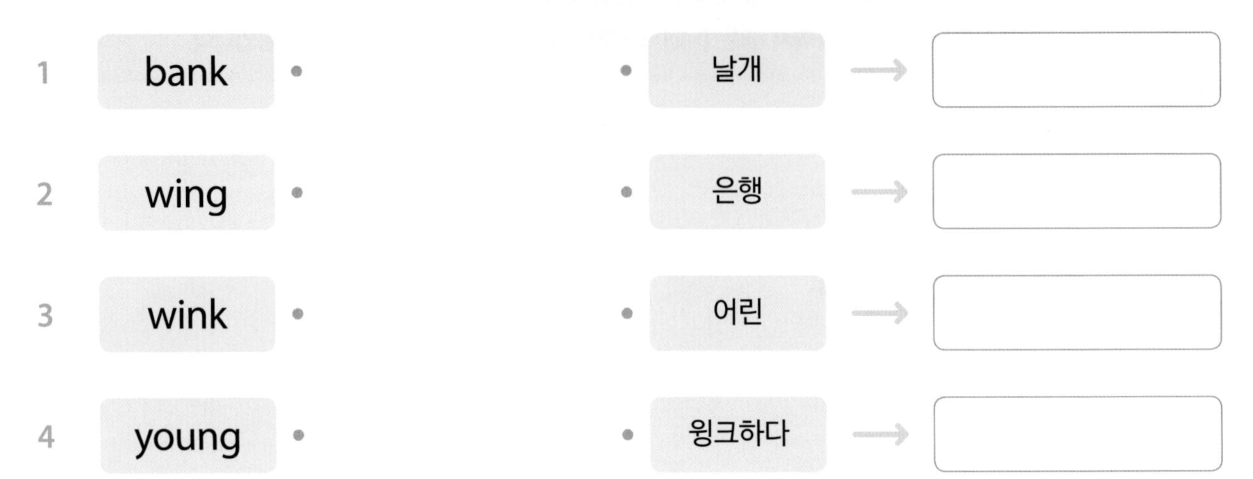

B 그림을 보고 알맞은 단어를 보기 에서 찾아 쓰세요.

보기 sing long hang skunk thank think

C 그림에 알맞은 단어를 보기 에서 찾아 문장을 완성하세요.

보기	wink	bank	wing	young

1 She works in a BANK ____________.

2 The bird broke its ____________.

3 I ____________ at all my friends.

4 Peter is a ____________ child.

D 우리말과 같도록 빈칸에 알맞은 단어를 골라 문장을 완성하세요.

1 How ____________ is your ruler? 네 자는 얼마나 **길**어?
(long / bank)

2 A ____________ smells terrible. **스컹크**는 냄새가 지독하다.
(wing / skunk)

3 Will you ____________ a song to us? 네가 우리에게 **노래** 좀 **불러줄래**?
(sing / wink)

4 I want to ____________ my parents. 나는 부모님께 **감사하고** 싶다.
(young / thank)

5 I ____________ my clothes in the closet. 나는 옷을 옷장에 **건다**.
(hang / wink)

6 What do you ____________ of that? 너는 그것을 어떻게 **생각하니**?
(young / think)

ch_ and sh_

01

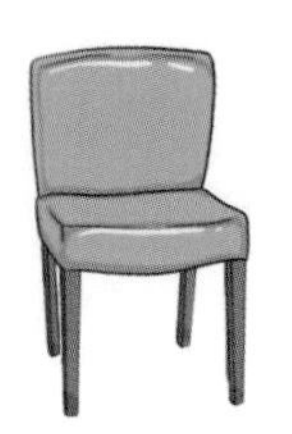

의자에 기대어 앉지 마라.

chair

[tʃεər]

의자

02

경찰이 왜 뒤쫓는 거니?

chase

[tʃeis]

뒤쫓다

03

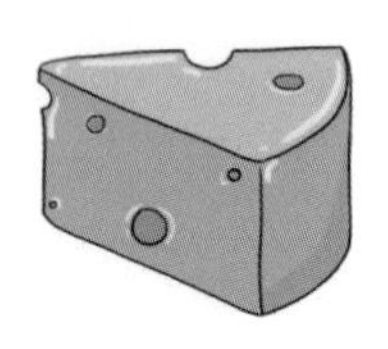

우유로 치즈를 만든다.

cheese

[tʃiːz]

치즈

04

색깔을 선택할 수 있다.

choose

[tʃuːz]

선택하다

05

일요일에 교회에 간다.

church

[tʃəːrtʃ]

교회

06

풍선은 무슨 모양이니?

shape

[ʃeip]

모양

07

양이 혼자 서 있다.

sheep

[ʃiːp]

양

08

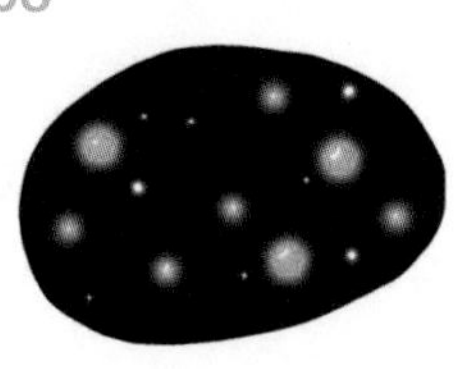

밤하늘에 별이 빛난다.

shine

[ʃain]

빛나다

09

배를 타고 섬에 가자.

ship

[ʃip]

(큰) 배

10

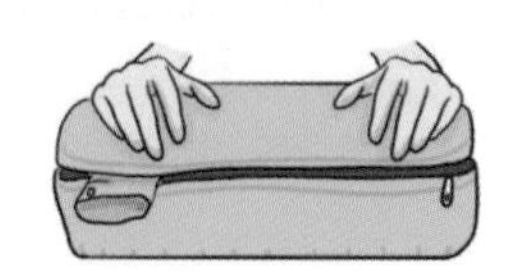

여행 가방을 닫을 수 없다.

shut

[ʃʌt]

닫다

ch_의 단어들에서 ch는 [tʃ] 소리로 우리말의 [취]와 유사한 발음입니다. sh_의 단어들에서 sh는 [ʃ] 소리로, 우리말의 [쉬]와 유사한 발음입니다. 두 소리 모두 입술을 모아서 앞으로 내민 상태에서 발음합니다.

영어 단어를 완성하세요.

1	chair 의자	air	cha	
2	chase 뒤쫓다	ase	ch e	
3	cheese 치즈	eese	ch se	
4	choose 선택하다	oose	ch se	
5	church 교회	urch	chur	
6	shape 모양	ape	sha	
7	sheep 양	eep	sh p	
8	shine 빛나다	ine	shi	
9	ship (큰) 배	ip	sh	
10	shut 닫다	ut	sh	

Practice

A 단어의 알맞은 뜻을 선으로 연결한 후, 빈칸에 단어를 직접 써보세요.

1	ship	의자	→	
2	shut	치즈	→	
3	chair	(큰) 배	→	
4	cheese	닫다	→	

B 그림을 보고 알맞은 단어를 보기 에서 찾아 쓰세요.

보기 sheep church shape chase shine choose

1 ____________ 2 ____________ 3 ____________

4 ____________ 5 ____________ 6 ____________

C 그림에 알맞은 단어를 보기 에서 찾아 문장을 완성하세요.

보기	ship	shut	chair	cheese

1 He makes ________ from milk.

2 Don't lean back in your ________.

3 Let's go to the island by ________.

4 I can't ________ my suitcase.

D 우리말과 같도록 빈칸에 알맞은 단어를 골라 문장을 완성하세요.

1 You can ________ the color. 너는 색깔을 **선택할** 수 있다.
(shut / choose)

2 The ________ is standing alone. 그 **양**은 혼자 서 있다.
(sheep / cheese)

3 What ________ is the balloon? 그 풍선은 무슨 **모양**이니?
(chair / shape)

4 I go to ________ on Sundays. 나는 일요일에 **교회**에 간다.
(church / ship)

5 The stars ________ in the night sky. 밤하늘에 별들이 **빛난다**.
(choose / shine)

6 Why do the police ________ him? 경찰이 왜 그를 **뒤쫓는 거니**?
(chase / sheep)

ph_, th_ and wh_

01

전화 좀 받아 줄래?

phone

[foun]

전화(기)

02

사진을 찍을 거다.

photo

[fóutou]

사진

03

두꺼운 책 몇 권이 있다.

thick

[θik]

두꺼운

04

창백하고 말라 보인다.

thin

[θin]

마른, 얇은

05

6시 30분이다.

thirty

[θə́:*r*ti]

30, 삼십

06

5 빼기 3은 2다.

three

[θri:]

3, 셋

07

고래는 공기로 숨을 쉰다.

whale

[*h*weil]

고래

08

새 바퀴가 필요하다.

wheel

[*h*wi:l]

바퀴

09

속삭이지 않아도 된다.

whisper

[*h*wíspə*r*]

속삭이다

10

벽을 하얀색으로 칠하세요.

white

[*h*wait]

하얀(색)

ph_의 단어들에서 ph는 [f] 소리로, 우리말의 [프]와 유사합니다. th_의 단어들에서 th는 [θ] 소리로, 윗니와 아랫니로 혀 중간까지 가볍게 물었다가 빼면서 [쓰]와 유사한 소리를 냅니다. wh_의 단어들에서 wh는 [hw] 소리로, 우리말의 [흐]와 유사한 소리입니다.

영어 단어를 완성하세요.

1	phone 전화(기)	one	ph e	
2	photo 사진	oto	pho	
3	thick 두꺼운	ick	thi	
4	thin 마른, 얇은	in	th	
5	thirty 30, 삼십	irty	thi y	
6	three 3, 셋	ree	th e	
7	whale 고래	ale	wha	
8	wheel 바퀴	eel	wh l	
9	whisper 속삭이다	isper	whi er	
10	white 하얀(색)	ite	whi	

Practice

A 단어의 알맞은 뜻을 선으로 연결한 후, 빈칸에 단어를 직접 써보세요.

1	white •	• 사진	→
2	three •	• 30, 삼십	→
3	thirty •	• 3, 셋	→
4	photo •	• 하얀(색)	→

B 그림을 보고 알맞은 단어를 보기 에서 찾아 쓰세요.

보기 thin thick phone whale wheel whisper

C 그림에 알맞은 단어를 보기 에서 찾아 문장을 완성하세요.

보기

thirty three white photo

1 Five minus 3 ______________ is two.

2 I will take a ______________ of you.

3 Please paint the wall ______________.

4 It's six 30 ______________.

D 우리말과 같도록 빈칸에 알맞은 단어를 골라 문장을 완성하세요.

1 I have some ______________ books. 나는 **두꺼운** 책 몇 권이 있다.
(thick / photo)

2 Will you answer the ______________? 네가 **전화** 좀 받아 줄래?
(thirty / phone)

3 He looks pale and ______________. 그는 창백하고 **말라** 보인다.
(thin / white)

4 A ______________ breathes air. **고래**는 공기로 숨을 쉰다.
(whale / three)

5 The bike needs a new ______________. 그 자전거에 새 **바퀴**가 필요하다.
(phone / wheel)

6 You don't have to ______________. 너는 **속삭이지** 않아도 된다.
(three / whisper)

silent syllable

01

언덕에 올라가자.

climb

[klaim]

오르다

02

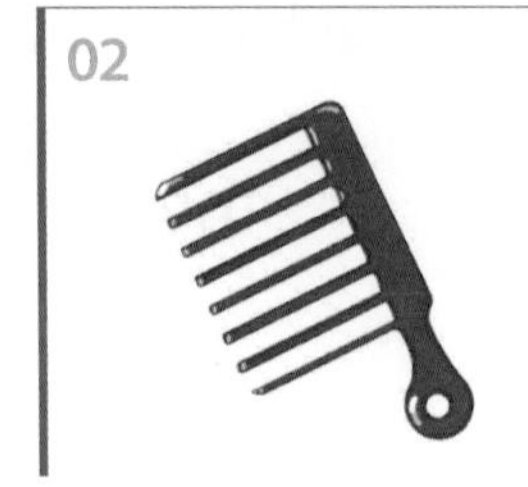

머리 빗질 좀 해야겠다.

comb

[koum]

빗, 빗다

03

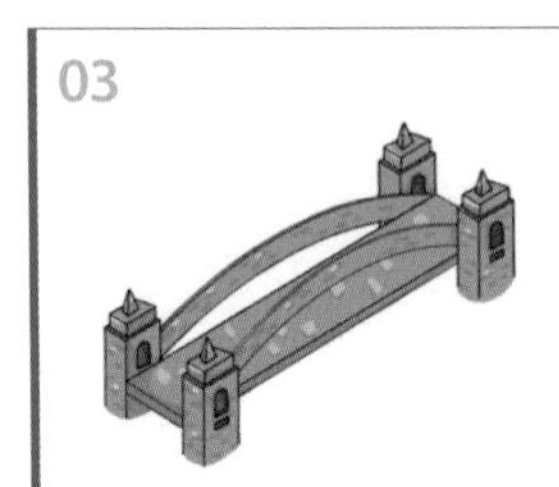

강 위에 있는 다리를 봐라.

bridge

[briʤ]

다리

04

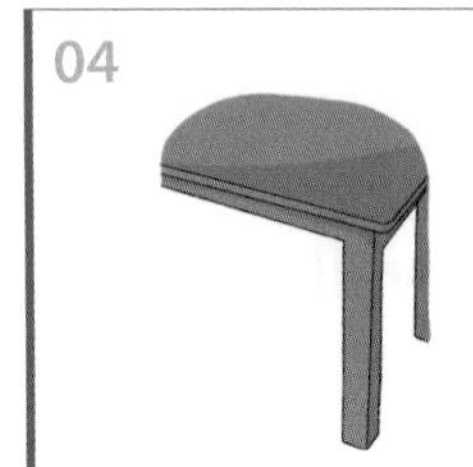

식탁 모서리에 있다.

edge

[eʤ]

모서리

05

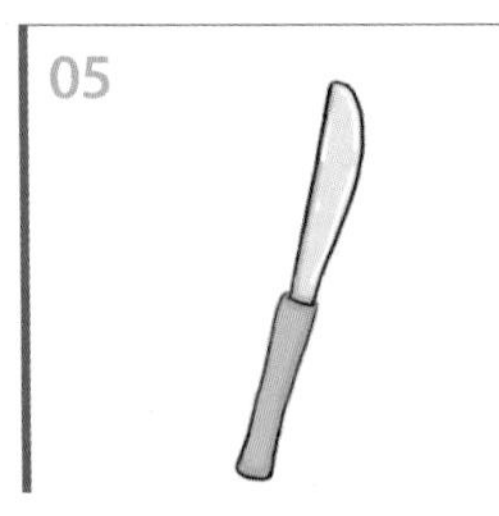

날카로운 칼이다.

knife

[naif]

칼

06

답을 알고 있니?

know

[nou]

알다, 알고 있다

07

톰과 말하고 싶지 않다.

talk

[tɔːk]

말하다

08

학교에서 집까지 걸어온다.

walk

[wɔːk]

걷다

09

큰 성에서 산다.

castle

[kǽsl]

성

10

매일 라디오를 듣는다.

listen

[lísn]

(귀 기울여) 듣다

_mb, _dge, kn_, _lk, _st_의 단어들에는 소리를 내지 못하는 철자가 있는데, 이를 '묵음'이라고 합니다.
위의 단어들에서 묵음은 각각 b, d, k, l, t입니다.

영어 단어를 완성하세요.

1	climb 오르다	clim	cli		
2	comb 빗, 빗다	com	co		
3	bridge 다리	bri ge	bri e		
4	edge 모서리	e ge	e e		
5	knife 칼	nife	ife		
6	know 알다, 알고 있다	now	ow		
7	talk 말하다	ta k	ta		
8	walk 걷다	wa k	wa		
9	castle 성	cas le	ca le		
10	listen (귀 기울여) 듣다	lis en	li en		

Practice

A 단어의 알맞은 뜻을 선으로 연결한 후, 빈칸에 단어를 직접 써보세요.

1	comb	칼	→
2	knife	성	→
3	castle	다리	→
4	bridge	빗, 빗다	→

B 그림을 보고 알맞은 단어를 보기 에서 찾아 쓰세요.

보기					
talk	walk	know	climb	edge	listen

1 ____________

2 ____________

3 ____________

4 ____________

5 ____________

6 ____________

C 그림에 알맞은 단어를 보기 에서 찾아 문장을 완성하세요.

보기	comb	knife	castle	bridge

1 It is a sharp ______________.

2 Your hair needs a ______________.

3 Look at the ______________ over the river.

4 He lives in a large ______________.

D 우리말과 같도록 빈칸에 알맞은 단어를 골라 문장을 완성하세요.

1 I ______________ home from school. 나는 학교에서 집까지 **걸어온다**.
(talk / walk)

2 Let's ______________ the hill. 그 언덕에 **올라가**자.
(climb / comb)

3 Do you ______________ the answer? 너는 답을 **알고 있니**?
(knife / know)

4 I don't want to ______________ to Tom. 나는 Tom과 **말하고** 싶지 않다.
(talk / walk)

5 I ______________ to the radio every day. 나는 매일 라디오를 **듣는다**.
(castle / listen)

6 It is on the ______________ of the table. 그것은 식탁 **모서리**에 있다.
(edge / bridge)

A 다음 영어 단어의 우리말 뜻을 쓰세요.

1 find → ______

2 mint → ______

3 wing → ______

4 know → ______

5 skunk → ______

6 phone → ______

7 knife → ______

8 cheese → ______

9 photo → ______

10 sheep → ______

11 whale → ______

12 bridge → ______

13 think → ______

14 church → ______

B 다음 우리말 뜻에 맞는 영어 단어를 쓰세요.

1 센트 → c______

2 은행 → b______

3 (큰) 배 → s______

4 바람 → w______

5 걷다 → w______

6 의자 → c______

7 연못 → p______

8 원하다 → w______

9 친절한 → k______

10 노래하다 → s______

11 윙크하다 → w______

12 마른, 얇은 → t______

13 30, 삼십 → t______

14 하얀(색) → w______

C 우리말과 같도록 괄호 안에서 알맞은 단어에 동그라미 하세요.

1 그 언덕에 **올라가**자. → Let's (talk / climb) the hill.

2 나는 여행 가방을 **닫을** 수 없다. → I can't (shut / bend) my suitcase.

3 나는 옷을 옷장에 **건다**. → I (sing / hang) my clothes in the closet.

4 나는 **두꺼운** 책 몇 권이 있다. → I have some (thin / thick) books.

5 Peter는 **어린**아이다. → Peter is a (kind / young) child.

6 나는 매일 라디오를 **듣는다**. → I (listen / think) to the radio every day.

7 너는 색깔을 **선택할** 수 있다. → You can (choose / chase) the color.

8 밤하늘에 별들이 **빛난다**. → The stars (know / shine) in the night sky.

9 나는 부모님께 **감사하고** 싶다. → I want to (walk / thank) my parents.

10 그는 큰 **성**에서 산다. → He lives in a large (bridge / castle).

D 우리말과 같도록 빈칸에 알맞은 단어를 쓰세요.

1 너는 머리 **빗질** 좀 해야겠다. → Your hair needs a c__________.

2 네 자는 얼마나 **길어**? → How l__________ is your ruler?

3 그는 **사냥하는** 것을 좋아한다. → He likes to h__________.

4 5 빼기 3은 2다. → Five minus t__________ is two.

5 나는 Tom과 **말하고** 싶지 않다. → I don't want to t__________ to Tom.

6 그 풍선은 무슨 **모양**이니? → What s__________ is the balloon?

7 나는 빨간 **페인트**가 더 필요하다. → I need more red p__________.

8 그 자전거에 새 **바퀴**가 필요하다. → The bike needs a new w__________.

9 철사를 **구부리**자. → Let's b__________ the wire.

10 경찰이 왜 그를 **뒤쫓는 거니**? → Why do the police c__________ him?

ANSWERS

정답

ANSWERS 정답

Unit 01 pp.14-15

A
1 돼지 → pig 2 책 → book
3 곰 → bear 4 배 → pear

B
1 bag 2 pen 3 bus
4 ball 5 panda 6 piano

C
1 pig - 그는 돼지 한 마리를 키운다.
2 book - 나는 책을 읽고 있다.
3 bear - 그것은 검은 곰이다.
4 pear - 이 배는 즙이 많다.

D
1 bag 2 pen 3 ball
4 bus 5 panda 6 piano

Unit 02 pp.18-19

A
1 오리 → duck 2 텐트 → tent
3 책상 → desk 4 수건 → towel

B
1 dad 2 tub 3 doll
4 tall 5 door 6 table

C
1 towel - 나는 목욕 수건이 필요하다.
2 tent - 텐트를 치자.
3 desk - 그는 책상에서 일하고 있다.
4 duck - 오리는 다리가 짧다.

D
1 dad 2 tall 3 doll
4 table 5 door 6 tub

Unit 03 pp.22-23

A
1 파리 → fly 2 꽃병 → vase
3 5, 다섯 → five 4 조끼 → vest

B
1 fat 2 vet 3 fish
4 frog 5 van 6 violin

C
1 fly - 그 파리는 윙윙거리고 있다.
2 vase - 그 꽃병은 오래된 거다.
3 five - 5페이지를 봐라.
4 vest - 나는 조끼를 입고 있다.

D
1 fat 2 vet 3 fish
4 van 5 frog 6 violin

Unit 04 pp.26-27

A
1 매트 → mat 2 9, 아홉 → nine
3 둥지 → nest 4 달 → moon

B
1 neck 2 nun 3 mom
4 milk 5 nurse 6 monkey

C
1 moon - 달이 밝다.
2 nine - 나는 9살이다.
3 mat - 발을 매트에 닦아라.
4 nest - 그 새는 둥지를 틀고 있다.

D
1 nun 2 neck 3 mom
4 monkey 5 nurse 6 milk

Unit 05 pp.30-31

A
1 모자 → hat 2 제트기 → jet
3 언덕 → hill 4 재킷 → jacket

B
1 jar 2 hippo 3 jump
4 horse 5 helmet 6 jungle

C
1 hat - 그것은 멋진 모자다.
2 jet - 그 제트기는 하늘을 날고 있다.
3 hill - 우리 학교는 언덕 위에 있다.
4 jacket - 나는 이 재킷이 마음에 든다.

D
1 horse 2 jump 3 helmet
4 jar 5 jungle 6 hippo

Review pp.32-33

A
1 원숭이 2 탁자 3 정글, 밀림
4 바이올린 5 개구리 6 간호사
7 하마 8 문 9 판다
10 책 11 헬멧 12 재킷
13 둥지 14 수의사

B
1 bag 2 doll 3 milk
4 fly 5 neck 6 hill
7 bus 8 tub 9 dad
10 pig 11 van 12 mat
13 fat 14 jar

C
1 ball 2 mom 3 nun
4 towel 5 piano 6 pear
7 five 8 desk 9 jump
10 hat

D
1 fish 2 nine 3 vase
4 horse 5 moon 6 pen
7 tall 8 tent 9 bear
10 duck

Unit 06 pp.36-37

A
1 6, 여섯 → six 2 해, 태양 → sun
3 0, 영 → zero 4 지그재그 → zigzag

B
1 zoo 2 sky 3 sofa
4 zebra 5 sea 6 zipper

C
1 sun - 해가 빛나고 있다.
2 six - 5 더하기 1은 6이다.
3 zigzag - 지그재그로 걷지 마라.
4 zero - 그는 숫자 0을 쓰고 있다.

D
1 zoo 2 sea 3 sky
4 zebra 5 sofa 6 zipper

Unit 07 pp.40-41

A
1 반지 → ring 2 선, 줄 → line
3 자 → ruler 4 레몬 → lemon

B
1 lily 2 lamp 3 robot
4 river 5 rabbit 6 letter

C
1 line - 종이에 선을 그어라.
2 ring - 이 반지는 아주 멋지다.
3 ruler - 내가 네 자 좀 써도 되니?
4 lemon - 나는 레몬차를 좋아한다.

D
1 lamp 2 robot 3 letter
4 rabbit 5 river 6 lily

Unit 08 pp.44-45

A
1 시계 → watch 2 요트 → yacht
3 물 → water 4 노란(색) → yellow

B
1 wolf 2 witch 3 yell
4 window 5 yawn 6 yogurt

C
1 watch - 내 시계는 느리다.
2 water - 나는 물을 많이 마신다.
3 yacht - 그는 요트를 타고 항해한다.
4 yellow - 내 비옷은 노란색이다.

D
1 yell 2 witch 3 wolf
4 yogurt 5 window 6 yawn

Unit 09 pp.48-49

A
1 상자 → box 2 열쇠 → key
3 누비이불, 퀼트 → quilt 4 조용한 → quiet

B
1 fox 2 king 3 queen
4 quiz 5 kick 6 kangaroo

C
1 key - 너는 그 열쇠를 갖고 있니?
2 box - 그 상자 안에 뭐가 들어 있니?
3 quilt - 그녀는 누비이불을 만든다.
4 quiet - 조용히 해라.

D
1 kick 2 queen 3 fox
4 kangaroo 5 king 6 quiz

Unit 10

pp.52-53

A 1 컵, 잔 → cup 2 원, 동그라미 → circle
3 시리얼 → cereal 4 사탕 → candy

B 1 car 2 city 3 color
4 cinema 5 circus 6 computer

C 1 cup - 그녀는 차 한 잔을 마신다.
2 cereal - 나는 시리얼 한 그릇을 먹는다.
3 candy - 이 사탕은 엄청 달콤하다.
4 circle - 연필로 원을 그려라.

D 1 city 2 car 3 cinema
4 color 5 computer 6 circus

Review

pp.54-55

A 1 사탕 2 서커스 3 지그재그
4 백합(꽃) 5 요트 6 토끼
7 레몬 8 창문 9 얼룩말
10 마녀 11 여왕 12 캥거루
13 영화관 14 컴퓨터

B 1 cup 2 sea 3 box
4 city 5 zoo 6 ring
7 key 8 six 9 wolf
10 yell 11 fox 12 line
13 sky 14 quiz

C 1 quiet 2 watch 3 letter
4 zipper 5 ruler 6 yellow
7 cereal 8 yawn 9 yogurt
10 circle

D 1 sun 2 lamp 3 water
4 king 5 car 6 sofa
7 zero 8 kick 9 river
10 color

Unit 11

pp.58-59

A 1 보석 → gem 2 천재 → genius
3 유리잔 → glass 4 정원 → garden

B 1 goat 2 girl 3 giraffe
4 gorilla 5 giant 6 gym

C 1 gem - 여기 이 보석을 봐라.
2 glass - 이 유리잔은 더럽다.
3 garden - 그 집은 작은 정원이 있다.
4 genius - 아인슈타인은 천재였다.

D 1 girl 2 giant 3 gorilla
4 goat 5 gym 6 giraffe

Unit 12

pp.62-63

A 1 야구모자 → cap 2 잼 → jam
3 팬 → pan 4 손 → hand

B 1 map 2 fan 3 sad
4 dam 5 sand 6 bad

C 1 hand - 손을 드세요.
2 pan - 나는 팬에 계란 프라이를 한다.
3 cap - 나는 야구모자를 자주 쓴다.
4 jam - 네 토스트에 잼을 발라라.

D 1 bad 2 fan 3 sad
4 dam 5 map 6 sand

Unit 13

pp.66-67

A 1 그물 → net 2 빨간(색) → red
3 10, 열 → ten 4 거미줄 → web

B 1 bed 2 hen 3 wet
4 pet 5 tell 6 leg

C 1 red - 내 우산은 빨간색이다.
2 ten - 여자아이가 10명 있다.
3 net - 나는 그물로 물고기를 잡는다.
4 web - 그 거미는 거미줄을 치고 있다.

D 1 bed 2 wet 3 pet
4 hen 5 leg 6 tell

Unit 14

pp.70-71

A
1 아이 → kid
2 뚜껑 → lid
3 핀 → pin
4 섞다 → mix

B
1 win
2 big
3 fix
4 sit
5 hit
6 dig

C
1 pin - 그 핀은 휘었다.
2 mix - 나는 빨강과 노랑을 섞는다.
3 lid - 그녀는 뚜껑 있는 팬을 산다.
4 kid - 그 아이는 고양이를 키운다.

D
1 sit
2 dig
3 fix
4 win
5 big
6 hit

Unit 15

pp.74-75

A
1 냄비 → pot
2 대걸레 → mop
3 서다, 멈추다 → stop
4 바위 → rock

B
1 hop
2 hot
3 sock
4 spot
5 shop
6 lock

C
1 mop - 대걸레가 어디에 있니?
2 pot - 그 냄비에 수프가 끓고 있다.
3 rock - 그는 바위 위에 앉아 있다.
4 stop - 이 버스가 시청에 서니?

D
1 hot
2 lock
3 shop
4 sock
5 hop
6 spot

Review

pp.76-77

A
1 댐
2 다리
3 아이
4 지도
5 거미줄
6 큰
7 양말
8 보석
9 가게
10 애완동물
11 고릴라
12 바위
13 천재
14 기린

B
1 pot
2 bed
3 hen
4 lid
5 mix
6 girl
7 dig
8 fan
9 mop
10 goat
11 sand
12 cap
13 hit
14 glass

C
1 pan
2 wet
3 bad
4 sit
5 spot
6 giant
7 hop
8 fix
9 tell
10 hand

D
1 hot
2 sad
3 red
4 lock
5 gym
6 win
7 ten
8 net
9 stop
10 garden

Unit 16

pp.80-81

A
1 견과 → nut
2 진흙 → mud
3 벌레, 곤충 → bug
4 양탄자 → rug

B
1 run
2 bud
3 cut
4 hut
5 hug
6 fun

C
1 bug - 그것은 작은 벌레다.
2 rug - 그 개는 양탄자에 누워 있다.
3 mud - 그 바닥은 진흙투성이다.
4 nut - 그 다람쥐는 견과를 먹고 있다.

D
1 hug
2 bud
3 cut
4 fun
5 hut
6 run

Unit 17

pp.84-85

A
1 쪽, 페이지 → page
2 케이크 → cake
3 파도 → wave
4 이름 → name

B
1 game
2 cage
3 gate
4 cave
5 lake
6 date

C
1 page - 10쪽을 펴라.
2 cake - 그녀는 케이크를 굽는다.
3 name - 내 이름은 Kate다.
4 wave - 거대한 파도가 밀려온다.

D
1 gate
2 lake
3 cage
4 date
5 cave
6 game

Unit 18 pp.88-89

A 1 파이 → pie 2 연 → kite
3 자전거 → bike 4 밥, 쌀 → rice

B 1 mice 2 tie 3 hide
4 ride 5 hike 6 bite

C 1 kite - 연날리기는 재미있다.
2 bike - 나는 학교에 자전거를 타고 간다.
3 rice - 그들은 밥과 국을 먹는다.
4 pie - 너는 애플파이를 좋아하니?

D 1 tie 2 mice 3 hide
4 ride 5 bite 6 hike

Unit 19 pp.92-93

A 1 장미 → rose 2 금 → gold
3 메모 → note 4 밧줄 → rope

B 1 mole 2 cold 3 nose
4 hole 5 vote 6 hope

C 1 rope - 그는 밧줄을 묶고 있다.
2 rose - 그는 Mary에게 장미를 보낸다.
3 gold - 그것은 금이니?
4 note - 그의 이름을 메모해라.

D 1 cold 2 nose 3 hope
4 vote 5 mole 6 hole

Unit 20 pp.96-97

A 1 정육면체 → cube 2 귀여운 → cute
3 플루트 → flute 4 튤립 → tulip

B 1 mule 2 tube 3 rule
4 tune 5 June 6 mute

C 1 cute - 그 아기는 아주 귀엽다.
2 cube - 정육면체는 면이 6개다.
3 flute - 너는 플루트를 연주할 수 있니?
4 tulip - 튤립은 봄에 핀다.

D 1 June 2 rule 3 mule
4 tube 5 tune 6 mute

Review pp.98-99

A 1 오두막 2 자전거 3 이름
4 동굴 5 6월 6 장미
7 두더지 8 정육면체 9 호수
10 파도 11 투표하다 12 생쥐들
13 규칙 14 튤립

B 1 gold 2 nut 3 mud
4 pie 5 rope 6 date
7 rug 8 rice 9 page
10 cake 11 cage 12 flute
13 hide 14 hope

C 1 tie 2 gate 3 bug
4 hike 5 run 6 tube
7 bite 8 mule 9 note
10 hole

D 1 cold 2 hug 3 nose
4 cute 5 kite 6 fun
7 ride 8 cut 9 game
10 mute

Unit 21 pp.102-103

A 1 발(들) → feet 2 (나뭇)잎 → leaf
3 씨앗 → seed 4 고기 → meat

B 1 bee 2 bean 3 read
4 teeth 5 peach 6 peel

C 1 meat - 그녀는 고기를 안 먹는다.
2 leaf - 그것은 단풍잎이다.
3 feet - 나는 매일 발을 씻는다.
4 seed - 그 씨앗은 나무로 자랄 거다.

D 1 read 2 teeth 3 peach
4 peel 5 bean 6 bee

Unit 22 pp.106-107

A
1 쟁반 → tray 2 못 → nail
3 점토, 찰흙 → clay 4 기차 → train

B
1 sail 2 play 3 tail
4 rain 5 day 6 stay

C
1 nail - 그는 못을 박고 있다.
2 tray - 쟁반에 사과 5개가 있다.
3 clay - 그는 점토로 접시를 만든다.
4 train - 이것이 런던행 기차니?

D
1 tail 2 day 3 rain
4 play 5 stay 6 sail

Unit 23 pp.110-111

A
1 낮은 → low 2 비누 → soap
3 그릇 → bowl 4 베개 → pillow

B
1 coat 2 toad 3 road
4 blow 5 slow 6 boat

C
1 bowl - 이것은 샐러드 그릇이다.
2 low - 그 책상은 나한테 너무 낮다.
3 pillow - 이 베개는 푹신하다.
4 soap - 비누로 손을 닦아라.

D
1 coat 2 blow 3 toad
4 slow 5 road 6 boat

Unit 24 pp.114-115

A
1 아래로 → down 2 갈색(의) → brown
3 생쥐 → mouse 4 블라우스 → blouse

B
1 cow 2 house 3 gown
4 mouth 5 count 6 crowd

C
1 brown - 내 머리는 갈색이다.
2 mouse - 그는 덫으로 생쥐를 잡는다.
3 blouse - 이 블라우스는 나한테 작다.
4 down - 그 물은 산 아래로 흐른다.

D
1 cow 2 house 3 count
4 gown 5 mouth 6 crowd

Unit 25 pp.118-119

A
1 장난감 → toy 2 코일, 고리 → coil
3 기쁨 → joy 4 동전 → coin

B
1 boy 2 soy 3 boil
4 soil 5 point 6 enjoy

C
1 toy - 그는 장난감 차를 갖고 논다.
2 coil - 그는 철사 코일을 산다.
3 coin - 나는 그 기계에 동전을 넣는다.
4 joy - 그는 기뻐서 소리치고 있다.

D
1 boy 2 boil 3 soy
4 enjoy 5 point 6 soil

Review pp.120-121

A
1 씨잇 2 콩 3 쟁반
4 머무르다 5 그릇 6 느린
7 흙 8 두꺼비 9 생쥐
10 집 11 복숭아 12 가리키다
13 블라우스 14 베개

B
1 bee 2 boy 3 nail
4 soap 5 toy 6 cow
7 coin 8 tail 9 gown
10 clay 11 low 12 coil
13 leaf 14 boat

C
1 play 2 blow 3 soy
4 peel 5 train 6 teeth
7 joy 8 sail 9 road
10 down

D
1 read 2 day 3 feet
4 mouth 5 coat 6 rain
7 meat 8 count 9 boil
10 enjoy

Unit 26
pp.124-125

A 1 나무, 목재 → wood 2 수영장 → pool
3 지붕 → roof 4 발 → foot

B 1 food 2 hood 3 school
4 goose 5 cook 6 look

C 1 foot - 그녀가 발을 다쳤다.
2 roof - 그는 지붕을 수리하고 있다.
3 pool - 그는 수영장에서 수영한다.
4 wood - 불에 나무 좀 넣자.

D 1 food 2 hood 3 goose
4 cook 5 look 6 school

Unit 27
pp.128-129

A 1 양복, 정장 → suit 2 파란(색) → blue
3 사실인 → true 4 주스, 즙 → juice

B 1 glue 2 fruit 3 statue
4 bruise 5 clue 6 cruise

C 1 blue - 파란 하늘을 봐라.
2 true - 그 소문은 사실이다.
3 juice - 오렌지 주스 한 잔 주세요.
4 suit - 그는 양복을 입고 있다.

D 1 fruit 2 glue 3 statue
4 bruise 5 clue 6 cruise

Unit 28
pp.132-133

A 1 태우다 → burn 2 치마 → skirt
3 셔츠 → shirt 4 사다리 → ladder

B 1 bird 2 baker 3 turtle
4 farmer 5 dirty 6 hurt

C 1 skirt - 이 치마는 얼마니?
2 burn - 토스트를 태우지 마세요.
3 shirt - 이 셔츠는 나한테 크다.
4 ladder - 그 사다리에 올라가지 마라.

D 1 bird 2 hurt 3 dirty
4 farmer 5 turtle 6 baker

Unit 29
pp.136-137

A 1 카트, 수레 → cart 2 카드 → card
3 포크 → fork 4 40, 마흔 → forty

B 1 corn 2 horn 3 park
4 short 5 start 6 smart

C 1 fork - 나는 포크로 케이크를 먹는다.
2 card - 나에게 크리스마스 카드 보내줘라.
3 forty - 내 아버지는 40세다.
4 cart - 나는 쇼핑 카트에 음식을 담는다.

D 1 short 2 start 3 smart
4 park 5 horn 6 corn

Unit 30
pp.140-141

A 1 깃발 → flag 2 검은(색) → black
3 시계 → clock 4 구름 → cloud

B 1 clap 2 flour 3 block
4 clown 5 flower 6 blanket

C 1 flag - 그 깃발이 휘날리고 있다.
2 black - 그의 머리는 검은색이다.
3 clock - 내 자명종 시계가 울리고 있다.
4 cloud - 해가 구름 뒤로 들어간다.

D 1 clap 2 block 3 flower
4 flour 5 clown 6 blanket

Review
pp.142-143

A 1 발 2 뿔 3 지붕
4 시계 5 거위 6 거북
7 밀가루 8 농부 9 과일
10 사다리 11 꽃 12 조각상
13 담요 14 광대

B 1 bird 2 glue 3 flag
4 card 5 shirt 6 park
7 food 8 fork 9 juice
10 baker 11 corn 12 cook
13 blue 14 black

C 1 cart 2 skirt 3 cloud
4 start 5 hood 6 clue
7 bruise 8 block 9 burn
10 wood

D 1 short 2 hurt 3 look
4 dirty 5 smart 6 pool
7 true 8 forty 9 school
10 clap

Unit 31

pp.146-147

A 1 플러그 → plug 2 썰매 → sled
3 장갑 → glove 4 접시 → plate

B 1 glad 2 plane 3 globe
4 plant 5 slip 6 sleep

C 1 plug - 플러그를 뽑아라.
2 plate - 그것은 디저트용 접시다.
3 glove - 이 장갑 한 짝이 어디 있니?
4 sled - 썰매 타기는 재미있다.

D 1 glad 2 sleep 3 globe
4 plane 5 slip 6 plant

Unit 32

pp.150-151

A 1 신선한 → fresh 2 솔, 붓 → brush
3 빵 → bread 4 왕관 → crown

B 1 brick 2 cry 3 crayon
4 friend 5 crab 6 free

C 1 brush - 부드러운 솔을 쓰세요.
2 crown - 그 왕은 왕관을 쓰고 있다.
3 bread - 너는 빵 좀 먹을래?
4 fresh - 그는 신선한 채소를 판다.

D 1 cry 2 free 3 brick
4 crab 5 crayon 6 friend

Unit 33

pp.154-155

A 1 나무 → tree 2 북, 드럼 → drum
3 쓰레기 → trash 4 선물 → present

B 1 truck 2 drink 3 draw
4 prince 5 pretty 6 dream

C 1 tree - 그녀는 나무를 심고 있다.
2 drum - 그는 북을 치고 있다.
3 present - 선물 고마워.
4 trash - 네가 쓰레기 좀 내다 버려줄래?

D 1 drink 2 pretty 3 draw
4 truck 5 prince 6 dream

Unit 34

pp.158-159

A 1 피부 → skin 2 달팽이 → snail
3 미소, 웃다 → smile 4 뱀 → snake

B 1 small 2 skate 3 snow
4 smell 5 skip 6 smooth

C 1 snail - 달팽이는 천천히 움직인다.
2 skin - 그는 피부가 까무잡잡하다.
3 smile - 그는 얼굴에 미소가 돈다.
4 snake - 저것은 뱀처럼 보인다.

D 1 small 2 skate 3 skip
4 snow 5 smell 6 smooth

Unit 35

pp.162-163

A 1 백조 → swan 2 돌멩이 → stone
3 우표 → stamp 4 수저 → spoon

B 1 spider 2 swim 3 sweep
4 strong 5 spill 6 stand

C
1 stamp - 그것은 우표 앨범이다.
2 spoon - 나는 수저로 수프를 먹는다.
3 swan - 그 백조는 연못에 있다.
4 stone - 이 돌멩이는 둥글다.

D
1 stand 2 swim 3 strong
4 sweep 5 spill 6 spider

Review

pp.164-165

A
1 게 2 작은 3 지구본
4 비행기 5 거미 6 예쁜
7 접시 8 쓰레기 9 벽돌
10 달팽이 11 우표 12 왕자
13 친구 14 왕관

B
1 cry 2 tree 3 plug
4 sled 5 swan 6 glove
7 skin 8 spoon 9 drum
10 swim 11 brush 12 truck
13 stone 14 snow

C
1 sleep 2 skip 3 free
4 smile 5 sweep 6 fresh
7 smooth 8 present 9 crayon
10 spill

D
1 draw 2 glad 3 stand
4 skate 5 drink 6 strong
7 plant 8 smell 9 slip
10 dream

Unit 36

pp.168-169

A
1 센트 → cent 2 박하 → mint
3 바람 → wind 4 연못 → pond

B
1 paint 2 bend 3 hunt
4 find 5 kind 6 want

C
1 wind - 바람이 세게 불고 있다.
2 cent - 그녀는 1센트도 없다.
3 pond - 그 공원에는 연못이 있다.
4 mint - 나는 요리할 때 박하를 쓴다.

D
1 hunt 2 find 3 paint
4 kind 5 want 6 bend

Unit 37

pp.172-173

A
1 은행 → bank 2 날개 → wing
3 윙크하다 → wink 4 어린 → young

B
1 long 2 skunk 3 sing
4 hang 5 think 6 thank

C
1 bank - 그녀는 은행에서 일한다.
2 wing - 그 새는 날개가 부러졌다.
3 wink - 나는 모든 친구들에게 윙크한다.
4 young - Peter는 어린아이다.

D
1 long 2 skunk 3 sing
4 thank 5 hang 6 think

Unit 38

pp.176-177

A
1 (큰) 배 → ship 2 닫다 → shut
3 의자 → chair 4 치즈 → cheese

B
1 sheep 2 church 3 shine
4 chase 5 choose 6 shape

C
1 cheese - 그는 우유로 치즈를 만든다.
2 chair - 의자에 기대어 앉지 마라.
3 ship - 배를 타고 그 섬에 가자.
4 shut - 나는 여행 가방을 닫을 수 없다.

D
1 choose 2 sheep 3 shape
4 church 5 shine 6 chase

Unit 39

pp.180-181

A
1 하얀(색) → white 2 3, 셋 → three
3 30, 삼십 → thirty 4 사진 → photo

B
1 phone 2 whale 3 thin
4 wheel 5 thick 6 whisper

C
1 three - 5 빼기 3은 2다.
2 photo - 내가 네 사진을 찍을 거다.
3 white - 그 벽을 하얀색으로 칠하세요.
4 thirty - 6시 30분이다.

D
1 thick 2 phone 3 thin
4 whale 5 wheel 6 whisper

Unit 40

pp.184-185

A
1 빗, 빗다 → comb 2 칼 → knife
3 성 → castle 4 다리 → bridge

B
1 walk 2 climb 3 talk
4 listen 5 edge 6 know

C
1 knife - 그것은 날카로운 칼이다.
2 comb - 너는 머리 빗질 좀 해야겠다.
3 bridge - 그 강 위에 있는 다리를 봐라.
4 castle - 그는 큰 성에서 산다.

D
1 walk 2 climb 3 know
4 talk 5 listen 6 edge

Review

pp.186-187

A
1 찾다 2 박하 3 날개
4 알다, 알고 있다 5 스컹크 6 전화(기)
7 칼 8 치즈 9 사진
10 양 11 고래 12 다리
13 생각하다 14 교회

B
1 cent 2 bank 3 ship
4 wind 5 walk 6 chair
7 pond 8 want 9 kind
10 sing 11 wink 12 thin
13 thirty 14 white

C
1 climb 2 shut 3 hang
4 thick 5 young 6 listen
7 choose 8 shine 9 thank
10 castle

D
1 comb 2 long 3 hunt
4 three 5 talk 6 shape
7 paint 8 wheel 9 bend
10 chase

Memo

Longman

Vocabulary MENTOR JOY

Phonics Words

WORKBOOK

1

보기

bus	bag	ball	bear	book
pig	pen	pear	panda	piano

A 우리말 뜻을 보고 알맞은 단어를 보기 에서 찾아 쓰세요.

1 가방 →
2 판다 →
3 공 →
4 배 →
5 곰 →
6 펜 →
7 책 →
8 피아노 →
9 버스 →
10 돼지 →

B 우리말과 같도록 보기 에서 알맞은 단어를 찾아 문장을 완성하세요.

1 그는 **공**놀이를 하고 있다. → He is playing with a ________________.

2 그것은 검은 **곰**이다. → It is a black ________________.

3 여기 **버스**가 온다. → Here comes the ________________.

4 이 **배**는 즙이 많다. → This ________________ is juicy.

5 네 이름을 **펜**으로 써라. → Write your name with a ________________.

6 나는 **가방**을 싸고 있다. → I am packing my ________________.

7 나는 **책**을 읽고 있다. → I am reading a ________________.

8 나는 **피아노**를 잘 친다. → I play the ________________ well.

9 **판다**는 대나무를 먹는다. → A ________________ eats bamboo.

10 그는 **돼지** 한 마리를 키운다. → He keeps a ________________.

보기

dad	doll	duck	door	desk
tub	tall	tent	table	towel

A 우리말 뜻을 보고 알맞은 단어를 보기 에서 찾아 쓰세요.

1 문 →
2 텐트 →
3 아빠 →
4 욕조 →
5 책상 →
6 탁자 →
7 오리 →
8 수건 →
9 인형 →
10 키가 큰 →

B 우리말과 같도록 보기 에서 알맞은 단어를 찾아 문장을 완성하세요.

1 나의 **아빠**는 바쁘다. → My ______________ is busy.
2 나는 **인형**을 갖고 논다. → I play with a ______________.
3 나의 형은 **키가 크**다. → My brother is ______________.
4 그녀는 **탁자**를 닦고 있다. → She is wiping the ______________.
5 **텐트**를 치자. → Let's put up a ______________.
6 네가 **문** 좀 닫아줄래? → Can you close the ______________?
7 나는 목욕 **수건**이 필요하다. → I need a bath ______________.
8 그는 **책상**에서 일하고 있다. → He is working at his ______________.
9 **욕조**에 물을 받아주세요. → Please fill the ______________ with water.
10 **오리**는 다리가 짧다. → A ______________ has short legs.

보기

fly	fat	fish	five	frog
vet	van	vase	vest	violin

A 우리말 뜻을 보고 알맞은 단어를 보기 에서 찾아 쓰세요.

1 벤 →
2 파리 →
3 꽃병 →
4 조끼 →
5 뚱뚱한 →
6 개구리 →
7 수의사 →
8 물고기 →
9 바이올린 →
10 5, 다섯 →

B 우리말과 같도록 보기 에서 알맞은 단어를 찾아 문장을 완성하세요.

1 나의 고모는 **뚱뚱하**다. → My aunt is ________________.
2 그 **꽃병**은 오래된 거다. → The ________________ is old.
3 그 **파리**는 윙윙거리고 있다. → The ________________ is buzzing.
4 나의 아버지는 **수의사**다. → My father is a ________________.
5 **개구리**는 겨울잠을 잔다. → A ________________ sleeps in winter.
6 나는 **조끼**를 입고 있다. → I am wearing a ________________.
7 **물고기**는 물에서 산다. → A ________________ lives in water.
8 Tom은 **벤** 안에 있다. → Tom is in the ________________.
9 나는 **바이올린**을 할 수 있다. → I can play the ________________.
10 **5**페이지를 봐라. → Look at page ________________.

보기

mat	mom	milk	moon	monkey
nun	nine	neck	nest	nurse

A 우리말 뜻을 보고 알맞은 단어를 보기 에서 찾아 쓰세요.

1 달 →
2 목 →
3 매트 →
4 둥지 →
5 우유 →
6 엄마 →
7 수녀 →
8 원숭이 →
9 간호사 →
10 9, 아홉 →

B 우리말과 같도록 보기 에서 알맞은 단어를 찾아 문장을 완성하세요.

1 **달**이 밝다. → The ______ is bright.
2 그 **수녀**는 친절하다. → The ______ is kind.
3 그는 **목**이 굵다. → He has a thick ______.
4 나는 **엄마**를 사랑한다. → I love my ______.
5 나는 **우유** 한 잔을 마신다. → I drink a glass of ______.
6 그 새는 **둥지**를 틀고 있다. → The bird is building a ______.
7 발을 **매트**에 닦아라. → Wipe your feet on the ______.
8 나의 어머니는 **간호사**다. → My mother is a ______.
9 나는 **9**살이다. → I am ______ years old.
10 **원숭이**는 나무를 잘 탄다. → A ______ climbs trees well.

보기

hat	hill	hippo	horse	helmet
jar	jet	jump	jungle	jacket

A 우리말 뜻을 보고 알맞은 단어를 보기 에서 찾아 쓰세요.

1 말 →
2 언덕 →
3 모자 →
4 재킷 →
5 하마 →
6 제트기 →
7 헬멧 →
8 병, 단지 →
9 점프하다 →
10 정글, 밀림 →

B 우리말과 같도록 보기 에서 알맞은 단어를 찾아 문장을 완성하세요.

1 **하마**는 입이 크다. → A ________________ has a large mouth.

2 그녀는 **말**을 탄다. → She rides a ________________.

3 그 **병**은 비어 있다. → The ________________ is empty.

4 나는 이 **재킷**이 마음에 든다. → I like this ________________.

5 **헬멧**을 써라. → Put on a ________________.

6 나는 높이 **점프할** 수 있다. → I can ________________ high.

7 그 **제트기**는 하늘을 날고 있다. → The ________________ is flying in the sky.

8 그것은 멋진 **모자**다. → It is a nice ________________.

9 타잔은 **정글**에 산다. → Tarzan lives in the ________________.

10 우리 학교는 **언덕** 위에 있다. → Our school is on the ________________.

보기

sun	sea	sky	six	sofa
zoo	zero	zebra	zipper	zigzag

A 우리말 뜻을 보고 알맞은 단어를 보기 에서 찾아 쓰세요.

1 하늘 →
2 바다 →
3 동물원 →
4 지퍼 →
5 6, 여섯 →
6 얼룩말 →
7 해, 태양 →
8 0, 영 →
9 소파 →
10 지그재그 →

B 우리말과 같도록 보기 에서 알맞은 단어를 찾아 문장을 완성하세요.

1 **얼룩말**은 풀을 먹는다. → A ________ eats grass.
2 **해**가 빛나고 있다. → The ________ is shining.
3 우리는 매주 **동물원**에 간다. → We go to the ________ every week.
4 **바다**로 가자. → Let's go to the ________.
5 **하늘**에 무지개가 떴다. → A rainbow hangs in the ________.
6 엄마는 **소파**에 앉아 있다. → Mom is sitting on the ________.
7 그는 숫자 **0**을 쓰고 있다. → He is writing the number ________.
8 5 더하기 1은 **6**이다. → Five plus one is ________.
9 **지퍼**를 채워라. → Close the ________.
10 **지그재그**로 걷지 마라. → Don't walk in a ________.

보기

lily	lamp	line	letter	lemon
ring	river	robot	ruler	rabbit

A 우리말 뜻을 보고 알맞은 단어를 보기 에서 찾아 쓰세요.

1 반지 →
2 램프, 등 →
3 선, 줄 →
4 로봇 →
5 강 →
6 편지 →
7 자 →
8 레몬 →
9 토끼 →
10 백합(꽃) →

B 우리말과 같도록 보기 에서 알맞은 단어를 찾아 문장을 완성하세요.

1 이 **반지**는 아주 멋지다. → This ______ is wonderful.
2 종이에 **선**을 그어라. → Draw a ______ on the paper.
3 **램프**를 켜라. → Turn on the ______.
4 그는 **편지**를 쓰고 있다. → He is writing a ______.
5 나는 장난감 **로봇**이 있다. → I have a toy ______.
6 그녀는 **강**을 건너고 있다. → She is crossing the ______.
7 내가 네 **자** 좀 써도 되니? → Can I use your ______?
8 나는 **레몬**차를 좋아한다. → I like ______ tea.
9 **백합**을 꽃병에 꽂아라. → Put a ______ in a vase.
10 **토끼**는 귀가 길다. → A ______ has long ears.

보기

wolf	witch	watch	water	window
yell	yawn	yacht	yogurt	yellow

A 우리말 뜻을 보고 알맞은 단어를 보기 에서 찾아 쓰세요.

1 물 →
2 늑대 →
3 요트 →
4 마녀 →
5 시계 →
6 노란(색) →
7 소리치다 →
8 창문 →
9 하품하다 →
10 요구르트 →

B 우리말과 같도록 보기 에서 알맞은 단어를 찾아 문장을 완성하세요.

1 내 **시계**는 느리다. → My ______________ is slow.
2 그 **마녀**는 못생겼다. → The ______________ is ugly.
3 나는 **물**을 많이 마신다. → I drink lots of ______________.
4 나한테 **소리지르지** 마라. → Don't ______________ at me.
5 그것은 **늑대** 소리 같다. → It sounds like a ______________.
6 내 비옷은 **노란색**이다. → My raincoat is ______________.
7 사람들은 왜 **하품을 할까**? → Why do people ______________?
8 그는 **요트**를 타고 항해한다. → He sails on a ______________.
9 나는 **요구르트**를 매일 먹는다. → I eat ______________ every day.
10 그는 **창문** 밖을 보고 있다. → He is looking out the ______________.

보기

box	fox	key	kick	kangaroo
king	quiz	quilt	quiet	queen

A 우리말 뜻을 보고 알맞은 단어를 보기 에서 찾아 쓰세요.

1 왕 →
2 여왕 →
3 열쇠 →
4 상자 →
5 여우 →
6 조용한 →
7 캥거루 →
8 퀴즈, 시험 →
9 누비이불, 퀼트 →
10 (발로) 차다 →

B 우리말과 같도록 보기 에서 알맞은 단어를 찾아 문장을 완성하세요.

1 **조용히** 해라. → Be ______.
2 그는 위대한 **왕**이다. → He is a great ______.
3 너는 그 **열쇠**를 갖고 있니? → Do you have the ______?
4 나는 **퀴즈** 게임을 좋아한다. → I like ______ games.
5 그 **상자** 안에 뭐가 들어 있니? → What is inside the ______?
6 그 **여왕**은 아름답다. → The ______ is beautiful.
7 그 우리 안에 **여우**가 있다. → There is a ______ in the cage.
8 그 **캥거루**는 펄쩍 뛰고 있다. → The ______ is jumping around.
9 그녀는 **누비이불**을 만든다. → She makes a ______.
10 그 공을 **차지** 마라. → Don't ______ the ball.

보기

cup	car	candy	color	computer
city	circle	circus	cereal	cinema

A 우리말 뜻을 보고 알맞은 단어를 보기 에서 찾아 쓰세요.

1 도시 →
2 색(깔) →
3 사탕 →
4 서커스 →
5 영화관 →
6 자동차 →
7 컵, 잔 →
8 시리얼 →
9 컴퓨터 →
10 원, 동그라미 →

B 우리말과 같도록 보기 에서 알맞은 단어를 찾아 문장을 완성하세요.

1 그는 **자동차**를 운전한다. → He drives a __________.
2 런던은 대**도시**다. → London is a big __________.
3 이 **사탕**은 엄청 달콤하다. → This __________ is very sweet.
4 그것은 무슨 **색**이니? → What __________ is it?
5 **영화관**에 가자. → Let's go to the __________.
6 연필로 **원**을 그려라. → Draw a __________ with a pencil.
7 그녀는 차 한 **잔**을 마신다. → She drinks a __________ of tea.
8 나는 **시리얼** 한 그릇을 먹는다. → I eat a bowl of __________.
9 나는 **컴퓨터**게임을 하고 있다. → I am playing a __________ game.
10 **서커스**는 몇 시에 시작하니? → What time does the __________ start?

보기

girl	goat	glass	gorilla	garden
gem	gym	giant	giraffe	genius

A 우리말 뜻을 보고 알맞은 단어를 보기 에서 찾아 쓰세요.

1 보석 →
2 소녀 →
3 염소 →
4 기린 →
5 고릴라 →
6 천재 →
7 정원 →
8 체육관 →
9 거인 →
10 유리잔 →

B 우리말과 같도록 보기 에서 알맞은 단어를 찾아 문장을 완성하세요.

1 이 **유리잔**은 더럽다. → This ________________ is dirty.

2 여기 이 **보석**을 봐라. → Look at this ________________ here.

3 Mary는 조그마한 **소녀**다. → Mary is a little ________________.

4 내가 **거인**이 된 느낌이다. → I feel like a ________________.

5 나는 **체육관**에서 농구를 한다. → I play basketball in the ________________.

6 아인슈타인은 **천재**였다. → Einstein was a ________________.

7 그 집은 작은 **정원**이 있다. → The house has a small ________________.

8 **기린**은 목과 다리가 길다. → A ________________ has a long neck and legs.

9 Tom은 그의 **염소**에게 먹이를 준다. → Tom feeds his ________________.

10 그 **고릴라**는 어슬렁거리고 있다. → The ________________ is walking around.

보기

bad	sad	dam	jam	fan
pan	cap	map	hand	sand

A 우리말 뜻을 보고 알맞은 단어를 보기 에서 찾아 쓰세요.

1 잼 →
2 팬 →
3 댐 →
4 손 →
5 지도 →
6 슬픈 →
7 모래 →
8 나쁜 →
9 선풍기 →
10 야구모자 →

B 우리말과 같도록 보기 에서 알맞은 단어를 찾아 문장을 완성하세요.

1 그녀는 **슬퍼** 보인다. → She looks ________________.
2 그들은 **댐**을 건설한다. → They build a ________________.
3 **손**을 드세요. → Please raise your ________________.
4 그는 **나쁜** 사람이다. → He is a ________________ man.
5 우리는 새 **선풍기**가 필요하다. → We need a new ________________.
6 그 **지도**에서 서울을 찾아봐라. → Find Seoul on the ________________.
7 나는 **팬**에 계란 프라이를 한다. → I fry an egg in a ________________.
8 우리는 **모래**에서 놀고 있다. → We are playing in the ________________.
9 나는 **야구모자**를 자주 쓴다. → I often wear a ________________.
10 네 토스트에 **잼**을 발라라. → Spread ________________ on your toast.

보기

web	bed	red	leg	hen
ten	net	pet	wet	tell

A 우리말 뜻을 보고 알맞은 단어를 보기 에서 찾아 쓰세요.

1 침대 →
2 다리 →
3 암탉 →
4 젖은 →
5 그물 →
6 10, 열 →
7 빨간(색) →
8 거미줄 →
9 말하다 →
10 애완동물 →

B 우리말과 같도록 보기 에서 알맞은 단어를 찾아 문장을 완성하세요.

1 내 우산은 **빨간색**이다. → My umbrella is ________________.
2 나는 **침대** 정리를 한다. → I make my ________________.
3 그것은 **젖은** 수건이다. → It is a ________________ towel.
4 나는 **그물**로 물고기를 잡는다. → I catch fish in the ________________.
5 **암탉**은 알을 낳는다. → A ________________ lays eggs.
6 내 왼쪽 **다리**가 아프다. → My left ________________ hurts.
7 내 **애완동물**은 고양이다. → My ________________ is a cat.
8 나에게 이유를 **말해주세요.** → Please ________________ me why.
9 그 거미는 **거미줄**을 치고 있다. → The spider is spinning a ________________.
10 여자아이가 **10명** 있다. → There are ________________ girls.

보기

lid	kid	big	dig	pin
win	hit	sit	fix	mix

A 우리말 뜻을 보고 알맞은 단어를 보기 에서 찾아 쓰세요.

1 핀 →

2 큰 →

3 뚜껑 →

4 아이 →

5 파다 →

6 섞다 →

7 이기다 →

8 고치다 →

9 치다, 때리다 →

10 앉다, 앉아 있다 →

B 우리말과 같도록 보기 에서 알맞은 단어를 찾아 문장을 완성하세요.

1 **앉으**세요. → Please ________________ down.

2 그 **핀**은 휘었다. → The ________________ is bent.

3 모래를 **파**자. → Let's ________________ in the sand.

4 나는 빨강과 노랑을 **섞는다**. → I ________________ red and yellow.

5 그는 차를 **고칠** 수 있다. → He can ________________ a car.

6 그 **아이**는 고양이를 키운다. → The ________________ has a cat at home.

7 너는 그 경주에서 **이길** 수 있다. → You can ________________ the race.

8 그녀는 **뚜껑** 있는 팬을 산다. → She buys a pan with a ________________.

9 너는 배트로 공을 **칠** 수 있니? → Can you ________________ a ball with a bat?

10 그들은 그 **큰** 집에 산다. → They live in the ________________ house.

보기

hop	mop	shop	stop	hot
pot	spot	lock	rock	sock

A 우리말 뜻을 보고 알맞은 단어를 보기 에서 찾아 쓰세요.

1 냄비 →
2 바위 →
3 가게 →
4 양말 →
5 대걸레 →
6 잠그다 →
7 얼룩, 점 →
8 깡충 뛰다 →
9 더운, 뜨거운 →
10 서다, 멈추다 →

B 우리말과 같도록 보기 에서 알맞은 단어를 찾아 문장을 완성하세요.

1 오늘은 **덥**다. → It is ______________ today.
2 **대걸레**가 어디에 있니? → Where is a ______________?
3 문을 **잠그지** 마라. → Don't ______________ the door.
4 내 **양말**에 구멍이 났다. → There is a hole in my ______________.
5 그 웅덩이를 **뛰어**넘자. → Let's ______________ over the puddle.
6 이 **가게**는 매일 문을 연다. → This ______________ is open every day.
7 그 **냄비**에 수프가 끓고 있다. → The soup is boiling in the ______________.
8 내 티셔츠에 **얼룩**이 묻었다. → There is a ______________ on my T-shirt.
9 그는 **바위** 위에 앉아 있다. → He is sitting on a ______________.
10 이 버스가 시청에 **서니**? → Does this bus ______________ at City Hall?

보기

bud	mud	bug	hug	rug
fun	run	cut	hut	nut

A 우리말 뜻을 보고 알맞은 단어를 보기 에서 찾아 쓰세요.

1 견과 →
2 진흙 →
3 재미 →
4 껴안다 →
5 달리다 →
6 자르다 →
7 양탄자 →
8 싹, 봉오리 →
9 벌레, 곤충 →
10 오두막 →

B 우리말과 같도록 보기 에서 알맞은 단어를 찾아 문장을 완성하세요.

1 나는 엄마를 **껴안는다.** → I ________ my mom.
2 그것은 작은 **벌레**다. → It is a small ________.
3 그 **오두막**은 매우 깨끗하다. → The ________ is very neat.
4 그 나무에 **싹**이 난다. → The tree is in ________.
5 파티에서 **재미**있게 놀아라. → Have ________ at the party.
6 그 개는 **양탄자**에 누워 있다. → The dog is lying on the ________.
7 교실에서 **뛰지** 마라. → Don't ________ in the classroom.
8 그 다람쥐는 **견과**를 먹고 있다. → The squirrel is eating the ________.
9 나는 선을 따라 종이를 **자른다.** → I ________ the paper along the line.
10 그 바닥은 **진흙**투성이다. → There is ________ all over the floor.

보기

cage	page	cake	lake	game
name	date	gate	cave	wave

A 우리말 뜻을 보고 알맞은 단어를 보기 에서 찾아 쓰세요.

1 경기 →
2 이름 →
3 파도 →
4 호수 →
5 동굴 →
6 날짜 →
7 케이크 →
8 정문 →
9 새장, 우리 →
10 쪽, 페이지 →

B 우리말과 같도록 보기 에서 알맞은 단어를 찾아 문장을 완성하세요.

1 내 **이름**은 Kate다. → My ________________ is Kate.

2 10**쪽**을 펴라. → Turn to ________________ 10.

3 그 **정문**은 닫혀 있다. → The ________________ is shut.

4 오늘 **날짜**를 써라. → Write today's ________________.

5 그녀는 **케이크**를 굽는다. → She bakes a ________________.

6 네 앵무새는 **새장**에 있다. → Your parrot is in the ________________.

7 **호수**에서 수영하지 마라. → Don't swim in the ________________.

8 거대한 **파도**가 밀려온다. → There comes a huge ________________.

9 그 **동굴**에 박쥐들이 있다. → There are bats in the ________________.

10 농구는 재미있는 **경기**다. → Basketball is an exciting ________________.

보기

pie	tie	mice	rice	hide
ride	bike	hike	bite	kite

A 우리말 뜻을 보고 알맞은 단어를 보기 에서 찾아 쓰세요.

1 연 →
2 파이 →
3 묶다 →
4 타다 →
5 밥, 쌀 →
6 자전거 →
7 생쥐들 →
8 (깨)물다 →
9 숨다 →
10 하이킹 →

B 우리말과 같도록 보기 에서 알맞은 단어를 찾아 문장을 완성하세요.

1 나는 그 나무 뒤에 **숨는다**. → I ________ behind the tree.
2 나는 신발끈을 **묶는다**. → I ________ my shoelaces.
3 그 오두막에 **생쥐들**이 있다. → There are ________ in the hut.
4 **연**날리기는 재미있다. → Flying a ________ is fun.
5 **하이킹** 가자. → Let's go on a ________.
6 그는 오토바이를 **탈** 수 있다. → He can ________ a motorcycle.
7 손톱을 **물어뜯지** 마라. → Don't ________ your nails.
8 그들은 **밥**과 국을 먹는다. → They have ________ and soup.
9 너는 애플**파이**를 좋아하니? → Do you like apple ________?
10 나는 학교에 **자전거**를 타고 간다. → I go to school by ________.

보기

cold	gold	hole	mole	hope
rope	nose	rose	note	vote

A 우리말 뜻을 보고 알맞은 단어를 보기 에서 찾아 쓰세요.

1 코 →
2 금 →
3 장미 →
4 밧줄 →
5 메모 →
6 두더지 →
7 추운, 차가운 →
8 투표하다 →
9 바라다, 희망하다 →
10 구덩이, 구멍 →

B 우리말과 같도록 보기 에서 알맞은 단어를 찾아 문장을 완성하세요.

1 나는 **춥**다. → I feel ________.
2 그는 **코**가 크다. → He has a big ________.
3 그는 **밧줄**을 묶고 있다. → He is tying a ________.
4 그는 Mary에게 **장미**를 보낸다. → He sends Mary a ________.
5 나는 날씨가 좋길 **바란다**. → I ________ for good weather.
6 그것은 **금**이니? → Is it ________?
7 그는 **구덩이**를 파고 있다. → He is digging a ________.
8 나는 Steve에게 **투표한다**. → I ________ for Steve.
9 **두더지**는 땅속에서 산다. → A ________ lives under the ground.
10 그의 이름을 **메모**해라. → Make a ________ of his name.

보기

cube	tube	mule	rule	June
tune	cute	mute	flute	tulip

A 우리말 뜻을 보고 알맞은 단어를 보기 에서 찾아 쓰세요.

1 튤립 →
2 6월 →
3 규칙 →
4 노새 →
5 플루트 →
6 귀여운 →
7 통, 튜브 →
8 정육면체 →
9 말이 없는 →
10 멜로디, 선율 →

B 우리말과 같도록 보기 에서 알맞은 단어를 찾아 문장을 완성하세요.

1 그 아기는 아주 **귀엽**다. → The baby is so ________________.
2 **정육면체**는 면이 6개다. → A ________________ has six sides.
3 내 생일은 **6월**이다. → My birthday is in ________________.
4 너는 **플루트**를 연주할 수 있니? → Can you play the ________________?
5 그녀는 그 **규칙**을 어겼다. → She broke the ________________.
6 **튤립**은 봄에 핀다. → A ________________ blooms in spring.
7 그녀는 치약 한 **통**을 산다. → She buys a ________________ of toothpaste.
8 그는 **멜로디**를 흥얼거리고 있다. → He is humming a ________________.
9 **노새**는 말처럼 생겼다. → A ________________ looks like a horse.
10 그녀는 **말없이** 앉아 있다. → She is sitting ________________.

보기				
bean	leaf	meat	peach	read
bee	feet	peel	seed	teeth

A 우리말 뜻을 보고 알맞은 단어를 보기 에서 찾아 쓰세요.

1 벌 →
2 콩 →
3 씨앗 →
4 발(들) →
5 읽다 →
6 고기 →
7 (나뭇)잎 →
8 복숭아 →
9 이빨(들) →
10 껍질을 벗기다 →

B 우리말과 같도록 보기 에서 알맞은 단어를 찾아 문장을 완성하세요.

1 그것은 단풍**잎**이다. → It is a maple ________________.
2 그녀는 **고기**를 안 먹는다. → She doesn't eat ________________.
3 나는 책을 많이 **읽는다**. → I ________________ a lot of books.
4 나는 매일 **발**을 씻는다. → I wash my ________________ every day.
5 그는 **이**를 닦고 있다. → He is brushing his ________________.
6 이 **복숭아**는 달다. → This ________________ tastes sweet.
7 이 **콩** 샐러드는 맛있다. → This ________________ salad is delicious.
8 나를 위해 바나나 **껍질을 벗겨** 주세요. → Please ________________ a banana for me.
9 **벌**은 꿀을 만든다. → A ________________ makes honey.
10 그 **씨앗**은 나무로 자랄 거다. → The ________________ will grow into a tree.

보기

nail	sail	tail	rain	train
day	clay	play	stay	tray

A 우리말 뜻을 보고 알맞은 단어를 보기 에서 찾아 쓰세요.

1 못 →
2 기차 →
3 꼬리 →
4 쟁반 →
5 놀다 →
6 요일, 날 →
7 점토, 찰흙 →
8 머무르다 →
9 항해하다 →
10 비가 오다, 비 →

B 우리말과 같도록 보기 에서 알맞은 단어를 찾아 문장을 완성하세요.

1 밖에 나가서 **놀**자. → Let's ________ outside.
2 이구아나는 **꼬리**가 길다. → An iguana has a long ________.
3 나는 집에 **머무**를 거다. → I will ________ at home.
4 내일은 **비가 올** 거다. → It will ________ tomorrow.
5 오늘은 무슨 **요일**이니? → What ________ is it today?
6 **쟁반**에 사과 5개가 있다. → There are five apples on the ________.
7 이것이 런던행 **기차**니? → Is this the ________ for London?
8 그는 **점토**로 접시를 만든다. → He makes dishes out of ________.
9 그 배는 다시 **항해할** 거다. → The ship will ________ again.
10 그는 **못**을 박고 있다. → He is hammering a ________.

보기

boat	coat	road	toad	soap
low	blow	slow	pillow	bowl

A 우리말 뜻을 보고 알맞은 단어를 보기 에서 찾아 쓰세요.

1 낮은 →
2 느린 →
3 도로 →
4 비누 →
5 불다 →
6 베개 →
7 그릇 →
8 두꺼비 →
9 (작은) 배 →
10 코트, 외투 →

B 우리말과 같도록 보기 에서 알맞은 단어를 찾아 문장을 완성하세요.

1 이 **베개**는 푹신하다. → This ________ is soft.

2 이것은 샐러드 **그릇**이다. → This is a salad ________.

3 **코트**를 벗으세요. → Take off your ________, please.

4 **비누**로 손을 닦아라. → Wash your hands with ________.

5 호루라기를 **불지** 마라. → Don't ________ a whistle.

6 그는 **배**의 노를 젓고 있다. → He is rowing a ________.

7 **두꺼비**는 개구리처럼 생겼다. → A ________ looks like a frog.

8 **도로**에 차들이 달리고 있다. → Cars are driving along the ________.

9 그 책상은 나한테 너무 **낮**다. → The desk is too ________ for me.

10 거북은 움직임이 **느리**다. → A turtle is ________ to move.

보기

count	blouse	house	mouse	mouth
cow	down	gown	brown	crowd

A 우리말 뜻을 보고 알맞은 단어를 보기 에서 찾아 쓰세요.

1 입 →
2 가운 →
3 집 →
4 생쥐 →
5 아래로 →
6 갈색(의) →
7 (수를) 세다 →
8 젖소, 암소 →
9 블라우스 →
10 사람들, 군중 →

B 우리말과 같도록 보기 에서 알맞은 단어를 찾아 문장을 완성하세요.

1 내 머리는 **갈색**이다. → I have ________ hair.
2 **입**을 벌리세요. → Open your ________, please.
3 **젖소**는 우리에게 우유를 제공한다. → A ________ gives us milk.
4 1부터 10까지 **세어**보자. → Let's ________ from one to ten.
5 그 의사는 흰 **가운**을 입었다. → The doctor wore a white ________.
6 이 **블라우스**는 나한테 작다. → This ________ is small for me.
7 우리는 새 **집**으로 이사한다. → We move to a new ________.
8 그는 덫으로 **생쥐**를 잡는다. → He catches a ________ in a trap.
9 그 거리에 **사람들**이 많다. → There is a big ________ in the street.
10 그 물은 산 **아래로** 흐른다. → The water flows ________ the mountain.

보기				
boil	coil	soil	coin	point
boy	soy	toy	joy	enjoy

A 우리말 뜻을 보고 알맞은 단어를 보기 에서 찾아 쓰세요.

1 흙 →
2 소년 →
3 동전 →
4 간장 →
5 기쁨 →
6 장난감 →
7 즐기다 →
8 코일, 고리 →
9 삶다, 끓이다 →
10 (손으로) 가리키다 →

B 우리말과 같도록 보기 에서 알맞은 단어를 찾아 문장을 완성하세요.

1 나는 냄비에 계란을 **삶는다**. → I ________ an egg in a pot.

2 나는 TV 보는 것을 **즐긴다**. → I ________ watching TV.

3 그 **소년**은 야구 하기를 원한다. → The ________ wants to play baseball.

4 그는 **장난감** 차를 갖고 논다. → He plays with his ________ car.

5 그는 **기뻐서** 소리치고 있다. → He is shouting with ________.

6 나는 그 기계에 **동전**을 넣는다. → I put the ________ in the machine.

7 그들은 북쪽을 **(손으로) 가리킨다**. → They ________ to the north.

8 나는 그 씨앗들을 **흙**으로 덮는다. → I cover the seeds with ________.

9 그는 철사 **코일**을 산다. → He buys a ________ of wire.

10 나는 **간장** 두 스푼이 필요하다. → I need two spoons of ________.

보기

food	goose	pool	roof	school
cook	foot	hood	look	wood

A 우리말 뜻을 보고 알맞은 단어를 보기 에서 찾아 쓰세요.

1 발 →
2 음식 →
3 학교 →
4 지붕 →
5 거위 →
6 보다 →
7 수영장 →
8 요리하다 →
9 나무, 목재 →
10 (외투에 달린) 모자 →

B 우리말과 같도록 보기 에서 알맞은 단어를 찾아 문장을 완성하세요.

1 그녀가 **발**을 다쳤다. → She hurts her ________________.
2 나는 이탈리아 **음식**을 좋아한다. → I love Italian ________________.
3 그 그림들을 **보세요**. → Please ________________ at the pictures.
4 그것은 **모자**가 달린 외투다. → It is a coat with a ________________.
5 그는 **지붕**을 수리하고 있다. → He is fixing the ________________.
6 그는 **수영장**에서 수영한다. → He swims in the ________________.
7 내가 저녁을 **요리할** 거다. → I will ________________ dinner.
8 불에 **나무** 좀 넣자. → Let's put some ________________ on the fire.
9 그 **거위**는 알을 품고 있다. → The ________________ is sitting on its eggs.
10 너는 **학교**에 몇 시에 가니? → What time do you go to ________________?

보기

blue	clue	glue	true	statue
bruise	cruise	fruit	juice	suit

A 우리말 뜻을 보고 알맞은 단어를 보기 에서 찾아 쓰세요.

1 풀 →
2 멍 →
3 과일 →
4 사실인 →
5 조각상 →
6 주스, 즙 →
7 파란(색) →
8 양복, 정장 →
9 단서 →
10 유람선 여행 →

B 우리말과 같도록 보기 에서 알맞은 단어를 찾아 문장을 완성하세요.

1 **파란** 하늘을 봐라. → Look at the ______________ sky.

2 나는 **과일**을 많이 먹는다. → I eat a lot of ______________.

3 그 소문은 **사실이**다. → The rumor is ______________.

4 오렌지 **주스** 한 잔 주세요. → A glass of orange ______________, please.

5 그는 팔에 **멍**이 있다. → He has a ______________ on his arm.

6 그 **조각상**에 손 대지 마라. → Don't touch the ______________.

7 그는 **양복**을 입고 있다. → He is wearing a ______________.

8 그녀는 종이에 **풀**을 칠한다. → She puts ______________ on the paper.

9 그는 괴사건의 **단서**를 찾았다. → He found a ______________ to the mystery.

10 **유람선 여행**은 어떠니? → How about going on a ______________?

보기

baker	farmer	ladder	bird	dirty
shirt	skirt	burn	hurt	turtle

A 우리말 뜻을 보고 알맞은 단어를 보기 에서 찾아 쓰세요.

1 새 →

2 셔츠 →

3 치마 →

4 농부 →

5 제빵사 →

6 더러운 →

7 거북 →

8 사다리 →

9 태우다 →

10 다치게 하다, 아프다 →

B 우리말과 같도록 보기 에서 알맞은 단어를 찾아 문장을 완성하세요.

1 나는 무릎을 **다쳤다**. → I ________ my knee.

2 이 **치마**는 얼마니? → How much is this ________?

3 이 **셔츠**는 나한테 크다. → This ________ is big for me.

4 **새**는 날개가 두 개다. → A ________ has two wings.

5 네 신발은 **더럽**다. → Your shoes are ________.

6 토스트를 **태우지** 마세요. → Please don't ________ the toast.

7 그 **제빵사**는 빵을 굽는다. → The ________ bakes bread.

8 그 **농부**는 젖소를 키운다. → The ________ keeps cows.

9 **거북**은 헤엄을 잘 친다. → A ________ swims well.

10 그 **사다리**에 올라가지 마라. → Don't climb up the ________.

보기				
card	cart	park	smart	start
corn	fork	forty	horn	short

A 우리말 뜻을 보고 알맞은 단어를 보기 에서 찾아 쓰세요.

1 카드 →
2 포크 →
3 공원 →
4 옥수수 →
5 똑똑한 →
6 40, 마흔 →
7 시작하다 →
8 카트, 수레 →
9 키가 작은, 짧은 →
10 (양, 소 등의) 뿔 →

B 우리말과 같도록 보기 에서 알맞은 단어를 찾아 문장을 완성하세요.

1 나는 **포크**로 케이크를 먹는다. → I eat cake with a ________.
2 내 여동생은 **키가 작**다. → My sister is ________.
3 네 남동생은 매우 **똑똑하**다. → Your brother is so ________.
4 이 코뿔소는 **뿔**이 한 개다. → This rhino has one ________.
5 네 개를 **공원**에서 산책시켜라. → Walk your dog in the ________.
6 내 아버지는 **40**세다. → My father is ________ years old.
7 나는 쇼핑 **카트**에 음식을 담는다. → I put food in my shopping ________.
8 나에게 크리스마스 **카드** 보내줘라. → Send me a Christmas ________.
9 그는 뒤뜰에서 **옥수수**를 키운다. → He grows ________ in the backyard.
10 경주를 **시작하**자. → Let's ________ the race.

보기

black	blanket	block	clap	clock
cloud	clown	flag	flour	flower

A 우리말 뜻을 보고 알맞은 단어를 보기 에서 찾아 쓰세요.

1 꽃 →
2 깃발 →
3 구름 →
4 시계 →
5 담요 →
6 광대 →
7 밀가루 →
8 검은(색) →
9 구역, 블록 →
10 손뼉을 치다 →

B 우리말과 같도록 보기 에서 알맞은 단어를 찾아 문장을 완성하세요.

1 그 **깃발**이 휘날리고 있다. → The ______________ is flying.
2 그의 머리는 **검은색**이다. → He has ______________ hair.
3 함께 **손뼉 치**자! → Let's ______________ together!
4 나는 **꽃**을 그리고 있다. → I am drawing a ______________.
5 내 자명종 **시계**가 울리고 있다. → My alarm ______________ is going off.
6 **밀가루**와 우유를 섞으세요. → Mix ______________ and milk, please.
7 해가 **구름** 뒤로 들어간다. → The sun goes behind a ______________.
8 나는 그 **구역** 주변을 걸었다. → I walked around the ______________.
9 그 **광대**는 사람들을 웃게 한다. → The ______________ makes people laugh.
10 그 아기에게 **담요**를 덮어줘라. → Put a ______________ over the baby.

보기

glad	globe	glove	plane	plant
plate	plug	sled	sleep	slip

A 우리말 뜻을 보고 알맞은 단어를 보기 에서 찾아 쓰세요.

1 썰매 →
2 장갑 →
3 식물 →
4 접시 →
5 비행기 →
6 지구본 →
7 플러그 →
8 기쁜 →
9 (잠을) 자다 →
10 미끄러지다 →

B 우리말과 같도록 보기 에서 알맞은 단어를 찾아 문장을 완성하세요.

1 **플러그**를 뽑아라. → Pull the ____________ out.
2 너는 잘 **잤니**? → Did you ____________ well?
3 그것은 디저트용 **접시**다. → It is a dessert ____________.
4 나는 그 소식을 들으니 **기쁘**다. → I am ____________ to hear the news.
5 내 방에는 **지구본**이 있다. → I have a ____________ in my room.
6 **식물**은 공기를 맑게 한다. → A ____________ cleans the air.
7 **미끄러지지** 않게 조심해라. → Be careful not to ____________.
8 **썰매** 타기는 재미있다. → Riding a ____________ is fun.
9 이 **장갑** 한 짝이 어디 있니? → Where is the pair to this ____________?
10 너는 런던에 **비행기**로 갈 거니? → Are you going to London by ____________?

보기

bread	brick	brush	crab	crayon
crown	cry	free	fresh	friend

A 우리말 뜻을 보고 알맞은 단어를 보기 에서 찾아 쓰세요.

1 게 →
2 빵 →
3 벽돌 →
4 울다 →
5 친구 →
6 왕관 →
7 솔, 붓 →
8 크레용 →
9 신선한 →
10 자유로운 →

B 우리말과 같도록 보기 에서 알맞은 단어를 찾아 문장을 완성하세요.

1 **울지** 마라. → Don't ________________.
2 부드러운 **솔**을 쓰세요. → Use a soft ________________, please.
3 그 새는 이제 **자유롭**다. → The bird is now ________________.
4 **게**는 옆으로 걷는다. → A ________________ walks sideways.
5 그는 나의 가장 친한 **친구**다. → He is my best ________________.
6 그 왕은 **왕관**을 쓰고 있다. → The king is wearing a ________________.
7 그는 **벽돌**로 담을 쌓고 있다. → He is building a ________________ wall.
8 그는 **신선한** 채소를 판다. → He sells ________________ vegetables.
9 너는 **빵** 좀 먹을래? → Do you want some ________________?
10 나는 파란색 **크레용**이 없다. → I don't have a blue ________________.

보기

draw	dream	drink	drum	present
pretty	prince	trash	tree	truck

A 우리말 뜻을 보고 알맞은 단어를 보기 에서 찾아 쓰세요.

1 나무 →
2 왕자 →
3 트럭 →
4 선물 →
5 예쁜 →
6 마시다 →
7 그리다 →
8 쓰레기 →
9 북, 드럼 →
10 꿈, 희망 →

B 우리말과 같도록 보기 에서 알맞은 단어를 찾아 문장을 완성하세요.

1 나의 삼촌은 **트럭** 운전사다. → My uncle is a ________ driver.

2 네가 정말 **예뻐** 보인다. → You look so ________.

3 그는 **북**을 치고 있다. → He is beating a ________.

4 네가 내게 약도 좀 **그려줄래**? → Can you ________ me a map?

5 그녀는 **나무**를 심고 있다. → She is planting a ________.

6 너는 뭐 **마실래**? → What do you want to ________?

7 나는 무서운 **꿈**을 꿨다. → I had a terrible ________.

8 그 젊은 **왕자**는 용감했다. → The young ________ was brave.

9 **선물** 고마워. → Thanks for the ________.

10 네가 **쓰레기** 좀 내다 버려줄래? → Can you take out the ________?

보기

skate	skin	skip	small	smell
smile	smooth	snail	snake	snow

A 우리말 뜻을 보고 알맞은 단어를 보기 에서 찾아 쓰세요.

1 뱀 →
2 작은 →
3 피부 →
4 달팽이 →
5 부드러운 →
6 거르다 →
7 미소, 웃다 →
8 냄새가 나다 →
9 스케이트를 타다 →
10 눈, 눈이 오다 →

B 우리말과 같도록 보기 에서 알맞은 단어를 찾아 문장을 완성하세요.

1 그는 **피부**가 까무잡잡하다. → He has dark ________________.
2 너는 **스케이트 탈** 수 있니? → Can you ________________?
3 나는 **작은** 상자가 필요하다. → I need a ________________ box.
4 식사를 **거르지** 마라. → Don't ________________ your meals.
5 **달팽이**는 천천히 움직인다. → A ________________ moves slowly.
6 그는 얼굴에 **미소**가 돈다. → He has a ________________ on his face.
7 저것은 **뱀**처럼 보인다. → That looks like a ________________.
8 우리는 **눈** 속에서 놀고 있다. → We are playing in the ________________.
9 그 꽃들에서 좋은 **냄새가 난다**. → The flowers ________________ good.
10 이 담요는 촉감이 **부드럽**다. → This blanket feels ________________.

보기

spider	spill	spoon	stamp	stand
stone	strong	swan	sweep	swim

A 우리말 뜻을 보고 알맞은 단어를 보기 에서 찾아 쓰세요.

1 백조 →

2 우표 →

3 거미 →

4 수저 →

5 쓸다 →

6 돌멩이 →

7 힘이 센 →

8 수영하다 →

9 서다, 서 있다 →

10 (액체를) 흘리다 →

B 우리말과 같도록 보기 에서 알맞은 단어를 찾아 문장을 완성하세요.

1 그것은 **우표** 앨범이다. → It is a ________________ album.

2 **일어서** 주세요. → Please ________________ up.

3 나는 **수저**로 수프를 먹는다. → I eat soup with a ________________.

4 함께 **수영하**자! → Let's ________________ together!

5 나는 바닥을 **쓸어야**겠다. → I need to ________________ the floor.

6 그는 **힘이 센** 남자다. → He is a ________________ man.

7 이 **돌멩이**는 둥글다. → This ________________ is round.

8 그 물을 **흘리지** 않게 조심해라. → Be careful not to ________________ the water.

9 **거미**는 다리가 8개다. → A ________________ has eight legs.

10 그 **백조**는 연못에 있다. → The ________________ is in the pond.

보기

bend	find	kind	pond	wind
cent	hunt	mint	paint	want

A 우리말 뜻을 보고 알맞은 단어를 보기 에서 찾아 쓰세요.

1 센트 →

2 바람 →

3 연못 →

4 박하 →

5 찾다 →

6 친절한 →

7 구부리다 →

8 사냥하다 →

9 원하다 →

10 페인트, 칠하다 →

B 우리말과 같도록 보기 에서 알맞은 단어를 찾아 문장을 완성하세요.

1 그는 **사냥하는** 것을 좋아한다. → He likes to ______________.

2 그녀는 1**센트**도 없다. → She doesn't have a ______________.

3 나는 안경을 **찾을** 수 없다. → I can't ______________ my glasses.

4 **바람**이 세게 불고 있다. → The ______________ is blowing hard.

5 그는 친구들에게 **친절하**다. → He is ______________ to his friends.

6 나는 빨간 **페인트**가 더 필요하다. → I need more red ______________.

7 나는 마실 것을 **원한다**. → I ______________ something to drink.

8 그 공원에는 **연못**이 있다. → There is a ______________ in the park.

9 나는 요리할 때 **박하**를 쓴다. → I use ______________ to cook food.

10 철사를 **구부리**자. → Let's ______________ the wire.

UNIT 37

보기				
hang	long	sing	wing	young
bank	skunk	thank	think	wink

A 우리말 뜻을 보고 알맞은 단어를 보기 에서 찾아 쓰세요.

1 긴 →

2 은행 →

3 날개 →

4 어린 →

5 스컹크 →

6 노래하다 →

7 윙크하다 →

8 감사하다 →

9 생각하다 →

10 걸다 →

B 우리말과 같도록 보기 에서 알맞은 단어를 찾아 문장을 완성하세요.

1 Peter는 **어린**아이이다. → Peter is a ______________ child.

2 그녀는 **은행**에서 일한다. → She works in a ______________.

3 네 자는 얼마나 **길**어? → How ______________ is your ruler?

4 나는 모든 친구들에게 **윙크한다.** → I ______________ at all my friends.

5 **스컹크**는 냄새가 지독하다. → A ______________ smells terrible.

6 그 새는 **날개**가 부러졌다. → The bird broke its ______________.

7 네가 우리에게 **노래** 좀 **불러줄래**? → Will you ______________ a song to us?

8 나는 부모님께 **감사하고** 싶다. → I want to ______________ my parents.

9 나는 옷을 옷장에 **건다.** → I ______________ my clothes in the closet.

10 너는 그것을 어떻게 **생각하니**? → What do you ______________ of that?

보기

chair	chase	cheese	choose	church
shape	sheep	shine	ship	shut

A 우리말 뜻을 보고 알맞은 단어를 보기 에서 찾아 쓰세요.

1 양 →
2 의자 →
3 (큰) 배 →
4 치즈 →
5 교회 →
6 모양 →
7 빛나다 →
8 뒤쫓다 →
9 선택하다 →
10 닫다 →

B 우리말과 같도록 보기 에서 알맞은 단어를 찾아 문장을 완성하세요.

1 나는 여행 가방을 **닫을** 수 없다. → I can't ______________ my suitcase.

2 **의자**에 기대어 앉지 마라. → Don't lean back in your ______________.

3 그는 우유로 **치즈**를 만든다. → He makes ______________ from milk.

4 그 **양**은 혼자 서 있다. → The ______________ is standing alone.

5 그 풍선은 무슨 **모양**이니? → What ______________ is the balloon?

6 밤하늘에 별들이 **빛난다**. → The stars ______________ in the night sky.

7 **배**를 타고 그 섬에 가자. → Let's go to the island by ______________.

8 너는 색깔을 **선택할** 수 있다. → You can ______________ the color.

9 나는 일요일에 **교회**에 간다. → I go to ______________ on Sundays.

10 경찰이 왜 그를 **뒤쫓는 거니**? → Why do the police ______________ him?

보기

phone	photo	thick	thin	thirty
three	whale	wheel	whisper	white

A 우리말 뜻을 보고 알맞은 단어를 보기 에서 찾아 쓰세요.

1 사진 →

2 고래 →

3 전화(기) →

4 바퀴 →

5 3, 셋 →

6 두꺼운 →

7 30, 삼십 →

8 하얀(색) →

9 마른, 얇은 →

10 속삭이다 →

B 우리말과 같도록 보기 에서 알맞은 단어를 찾아 문장을 완성하세요.

1 6시 **30**분이다. → It's six ______________.

2 그는 창백하고 **말라** 보인다. → He looks pale and ______________.

3 5 빼기 **3**은 2다. → Five minus ______________ is two.

4 내가 네 **사진**을 찍을 거다. → I will take a ______________ of you.

5 **고래**는 공기로 숨을 쉰다. → A ______________ breathes air.

6 그 벽을 **하얀색**으로 칠하세요. → Please paint the wall ______________.

7 나는 **두꺼운** 책 몇 권이 있다. → I have some ______________ books.

8 네가 **전화** 좀 받아 줄래? → Will you answer the ______________?

9 너는 **속삭이지** 않아도 된다. → You don't have to ______________.

10 그 자전거에 새 **바퀴**가 필요하다. → The bike needs a new ______________.

보기

climb	comb	bridge	edge	knife
know	talk	walk	castle	listen

A 우리말 뜻을 보고 알맞은 단어를 보기 에서 찾아 쓰세요.

1 칼 →
2 성 →
3 모서리 →
4 걷다 →
5 다리 →
6 말하다 →
7 오르다 →
8 빗, 빗다 →
9 알다, 알고 있다 →
10 (귀 기울여) 듣다 →

B 우리말과 같도록 보기 에서 알맞은 단어를 찾아 문장을 완성하세요.

1 그것은 날카로운 **칼**이다. → It is a sharp ____________.
2 그 언덕에 **올라가**자. → Let's ____________ the hill.
3 너는 머리 **빗**질 좀 해야겠다. → Your hair needs a ____________.
4 나는 학교에서 집까지 **걸어온다**. → I ____________ home from school.
5 너는 답을 **알고 있니**? → Do you ____________ the answer?
6 나는 매일 라디오를 **듣는다**. → I ____________ to the radio every day.
7 그는 큰 **성**에서 산다. → He lives in a large ____________.
8 나는 Tom과 **말하고** 싶지 않다. → I don't want to ____________ to Tom.
9 그 강 위에 있는 **다리**를 봐라. → Look at the ____________ over the river.
10 그것은 식탁 **모서리**에 있다. → It is on the ____________ of the table.

ANSWERS 정답

Unit 01

A
1 bag 2 panda
3 ball 4 pear
5 bear 6 pen
7 book 8 piano
9 bus 10 pig

B
1 ball 2 bear
3 bus 4 pear
5 pen 6 bag
7 book 8 piano
9 panda 10 pig

Unit 02

A
1 door 2 tent
3 dad 4 tub
5 desk 6 table
7 duck 8 towel
9 doll 10 tall

B
1 dad 2 doll
3 tall 4 table
5 tent 6 door
7 towel 8 desk
9 tub 10 duck

Unit 03

A
1 van 2 fly
3 vase 4 vest
5 fat 6 frog
7 vet 8 fish
9 violin 10 five

B
1 fat 2 vase
3 fly 4 vet
5 frog 6 vest
7 fish 8 van
9 violin 10 five

Unit 04

A
1 moon 2 neck
3 mat 4 nest
5 milk 6 mom
7 nun 8 monkey
9 nurse 10 nine

B
1 moon 2 nun
3 neck 4 mom
5 milk 6 nest
7 mat 8 nurse
9 nine 10 monkey

Unit 05

A
1 horse 2 hill
3 hat 4 jacket
5 hippo 6 jet
7 helmet 8 jar
9 jump 10 jungle

B
1 hippo 2 horse
3 jar 4 jacket
5 helmet 6 jump
7 jet 8 hat
9 jungle 10 hill

Unit 06

A
1 sky 2 sea
3 zoo 4 zipper
5 six 6 zebra
7 sun 8 zero
9 sofa 10 zigzag

B
1 zebra 2 sun
3 zoo 4 sea
5 sky 6 sofa
7 zero 8 six
9 zipper 10 zigzag

Unit 07

A	1	ring	2	lamp
	3	line	4	robot
	5	river	6	letter
	7	ruler	8	lemon
	9	rabbit	10	lily
B	1	ring	2	line
	3	lamp	4	letter
	5	robot	6	river
	7	ruler	8	lemon
	9	lily	10	rabbit

Unit 08

A	1	water	2	wolf
	3	yacht	4	witch
	5	watch	6	yellow
	7	yell	8	window
	9	yawn	10	yogurt
B	1	watch	2	witch
	3	water	4	yell
	5	wolf	6	yellow
	7	yawn	8	yacht
	9	yogurt	10	window

Unit 09

A	1	king	2	queen
	3	key	4	box
	5	fox	6	quiet
	7	kangaroo	8	quiz
	9	quilt	10	kick
B	1	quiet	2	king
	3	key	4	quiz
	5	box	6	queen
	7	fox	8	kangaroo
	9	quilt	10	kick

Unit 10

A	1	city	2	color
	3	candy	4	circus
	5	cinema	6	car
	7	cup	8	cereal
	9	computer	10	circle
B	1	car	2	city
	3	candy	4	color
	5	cinema	6	circle
	7	cup	8	cereal
	9	computer	10	circus

Unit 11

A	1	gem	2	girl
	3	goat	4	giraffe
	5	gorilla	6	genius
	7	garden	8	gym
	9	giant	10	glass
B	1	glass	2	gem
	3	girl	4	giant
	5	gym	6	genius
	7	garden	8	giraffe
	9	goat	10	gorilla

Unit 12

A	1	jam	2	pan
	3	dam	4	hand
	5	map	6	sad
	7	sand	8	bad
	9	fan	10	cap
B	1	sad	2	dam
	3	hand	4	bad
	5	fan	6	map
	7	pan	8	sand
	9	cap	10	jam

Unit 13

A
1 bed 2 leg
3 hen 4 wet
5 net 6 ten
7 red 8 web
9 tell 10 pet

B
1 red 2 bed
3 wet 4 net
5 hen 6 leg
7 pet 8 tell
9 web 10 ten

Unit 14

A
1 pin 2 big
3 lid 4 kid
5 dig 6 mix
7 win 8 fix
9 hit 10 sit

B
1 sit 2 pin
3 dig 4 mix
5 fix 6 kid
7 win 8 lid
9 hit 10 big

Unit 15

A
1 pot 2 rock
3 shop 4 sock
5 mop 6 lock
7 spot 8 hop
9 hot 10 stop

B
1 hot 2 mop
3 lock 4 sock
5 hop 6 shop
7 pot 8 spot
9 rock 10 stop

Unit 16

A
1 nut 2 mud
3 fun 4 hug
5 run 6 cut
7 rug 8 bud
9 bug 10 hut

B
1 hug 2 bug
3 hut 4 bud
5 fun 6 rug
7 run 8 nut
9 cut 10 mud

Unit 17

A
1 game 2 name
3 wave 4 lake
5 cave 6 date
7 cake 8 gate
9 cage 10 page

B
1 name 2 page
3 gate 4 date
5 cake 6 cage
7 lake 8 wave
9 cave 10 game

Unit 18

A
1 kite 2 pie
3 tie 4 ride
5 rice 6 bike
7 mice 8 bite
9 hide 10 hike

B
1 hide 2 tie
3 mice 4 kite
5 hike 6 ride
7 bite 8 rice
9 pie 10 bike

Unit 19

A	1	nose	2	gold
	3	rose	4	rope
	5	note	6	mole
	7	cold	8	vote
	9	hope	10	hole
B	1	cold	2	nose
	3	rope	4	rose
	5	hope	6	gold
	7	hole	8	vote
	9	mole	10	note

Unit 20

A	1	tulip	2	June
	3	rule	4	mule
	5	flute	6	cute
	7	tube	8	cube
	9	mute	10	tune
B	1	cute	2	cube
	3	June	4	flute
	5	rule	6	tulip
	7	tube	8	tune
	9	mule	10	mute

Unit 21

A	1	bee	2	bean
	3	seed	4	feet
	5	read	6	meat
	7	leaf	8	peach
	9	teeth	10	peel
B	1	leaf	2	meat
	3	read	4	feet
	5	teeth	6	peach
	7	bean	8	peel
	9	bee	10	seed

Unit 22

A	1	nail	2	train
	3	tail	4	tray
	5	play	6	day
	7	clay	8	stay
	9	sail	10	rain
B	1	play	2	tail
	3	stay	4	rain
	5	day	6	tray
	7	train	8	clay
	9	sail	10	nail

Unit 23

A	1	low	2	slow
	3	road	4	soap
	5	blow	6	pillow
	7	bowl	8	toad
	9	boat	10	coat
B	1	pillow	2	bowl
	3	coat	4	soap
	5	blow	6	boat
	7	toad	8	road
	9	low	10	slow

Unit 24

A	1	mouth	2	gown
	3	house	4	mouse
	5	down	6	brown
	7	count	8	cow
	9	blouse	10	crowd
B	1	brown	2	mouth
	3	cow	4	count
	5	gown	6	blouse
	7	house	8	mouse
	9	crowd	10	down

Unit 25

A	1	soil	2	boy
	3	coin	4	soy
	5	joy	6	toy
	7	enjoy	8	coil
	9	boil	10	point
B	1	boil	2	enjoy
	3	boy	4	toy
	5	joy	6	coin
	7	point	8	soil
	9	coil	10	soy

Unit 26

A	1	foot	2	food
	3	school	4	roof
	5	goose	6	look
	7	pool	8	cook
	9	wood	10	hood
B	1	foot	2	food
	3	look	4	hood
	5	roof	6	pool
	7	cook	8	wood
	9	goose	10	school

Unit 27

A	1	glue	2	bruise
	3	fruit	4	true
	5	statue	6	juice
	7	blue	8	suit
	9	clue	10	cruise
B	1	blue	2	fruit
	3	true	4	juice
	5	bruise	6	statue
	7	suit	8	glue
	9	clue	10	cruise

Unit 28

A	1	bird	2	shirt
	3	skirt	4	farmer
	5	baker	6	dirty
	7	turtle	8	ladder
	9	burn	10	hurt
B	1	hurt	2	skirt
	3	shirt	4	bird
	5	dirty	6	burn
	7	baker	8	farmer
	9	turtle	10	ladder

Unit 29

A	1	card	2	fork
	3	park	4	corn
	5	smart	6	forty
	7	start	8	cart
	9	short	10	horn
B	1	fork	2	short
	3	smart	4	horn
	5	park	6	forty
	7	cart	8	card
	9	corn	10	start

Unit 30

A	1	flower	2	flag
	3	cloud	4	clock
	5	blanket	6	clown
	7	flour	8	black
	9	block	10	clap
B	1	flag	2	black
	3	clap	4	flower
	5	clock	6	flour
	7	cloud	8	block
	9	clown	10	blanket

Unit 31

A	1	sled	2	glove
	3	plant	4	plate
	5	plane	6	globe
	7	plug	8	glad
	9	sleep	10	slip
B	1	plug	2	sleep
	3	plate	4	glad
	5	globe	6	plant
	7	slip	8	sled
	9	glove	10	plane

Unit 32

A	1	crab	2	bread
	3	brick	4	cry
	5	friend	6	crown
	7	brush	8	crayon
	9	fresh	10	free
B	1	cry	2	brush
	3	free	4	crab
	5	friend	6	crown
	7	brick	8	fresh
	9	bread	10	crayon

Unit 33

A	1	tree	2	prince
	3	truck	4	present
	5	pretty	6	drink
	7	draw	8	trash
	9	drum	10	dream
B	1	truck	2	pretty
	3	drum	4	draw
	5	tree	6	drink
	7	dream	8	prince
	9	present	10	trash

Unit 34

A	1	snake	2	small
	3	skin	4	snail
	5	smooth	6	skip
	7	smile	8	smell
	9	skate	10	snow
B	1	skin	2	skate
	3	small	4	skip
	5	snail	6	smile
	7	snake	8	snow
	9	smell	10	smooth

Unit 35

A	1	swan	2	stamp
	3	spider	4	spoon
	5	sweep	6	stone
	7	strong	8	swim
	9	stand	10	spill
B	1	stamp	2	stand
	3	spoon	4	swim
	5	sweep	6	strong
	7	stone	8	spill
	9	spider	10	swan

Unit 36

A	1	cent	2	wind
	3	pond	4	mint
	5	find	6	kind
	7	bend	8	hunt
	9	want	10	paint
B	1	hunt	2	cent
	3	find	4	wind
	5	kind	6	paint
	7	want	8	pond
	9	mint	10	bend

Unit 37

A

1	long	2	bank
3	wing	4	young
5	skunk	6	sing
7	wink	8	thank
9	think	10	hang

B

1	young	2	bank
3	long	4	wink
5	skunk	6	wing
7	sing	8	thank
9	hang	10	think

Unit 38

A

1	sheep	2	chair
3	ship	4	cheese
5	church	6	shape
7	shine	8	chase
9	choose	10	shut

B

1	shut	2	chair
3	cheese	4	sheep
5	shape	6	shine
7	ship	8	choose
9	church	10	chase

Unit 39

A

1	photo	2	whale
3	phone	4	wheel
5	three	6	thick
7	thirty	8	white
9	thin	10	whisper

B

1	thirty	2	thin
3	three	4	photo
5	whale	6	white
7	thick	8	phone
9	whisper	10	wheel

Unit 40

A

1	knife	2	castle
3	edge	4	walk
5	bridge	6	talk
7	climb	8	comb
9	know	10	listen

B

1	knife	2	climb
3	comb	4	walk
5	know	6	listen
7	castle	8	talk
9	bridge	10	edge

Longman

Longman

Vocabulary MENTOR JOY

단어 쓰기 노트

1

Longman

Vocabulary MENTOR JOY

단어 쓰기 노트

1

다음 단어의 우리말 뜻을 쓰고, 영어로 4번씩 반복해서 쓰세요.

1	2	3	4	5
bag	ball	bear	book	bus
가방				
bag				

6	7	8	9	10
panda	pear	pen	piano	pig

다음 단어의 우리말 뜻을 쓰고, 영어로 4번씩 반복해서 쓰세요.

1	2	3	4	5
dad	desk	doll	door	duck
아빠				
dad				

6	7	8	9	10
table	tall	tent	towel	tub

다음 단어의 우리말 뜻을 쓰고, 영어로 4번씩 반복해서 쓰세요.

1	2	3	4	5
fat	fish	five	fly	frog
뚱뚱한				
fat				

6	7	8	9	10
van	vase	vest	vet	violin

다음 단어의 우리말 뜻을 쓰고, 영어로 4번씩 반복해서 쓰세요.

1	2	3	4	5
mat	milk	mom	monkey	moon
매트				
mat				

6	7	8	9	10
neck	nest	nine	nun	nurse

다음 단어의 우리말 뜻을 쓰고, 영어로 4번씩 반복해서 쓰세요.

1	2	3	4	5
hat	helmet	hill	hippo	horse
모자				
hat				

6	7	8	9	10
jacket	jar	jet	jump	jungle

다음 단어의 우리말 뜻을 쓰고, 영어로 4번씩 반복해서 쓰세요.

1	2	3	4	5
sea	six	sky	sofa	sun
바다				
sea				

6	7	8	9	10
zebra	zero	zigzag	zipper	zoo

다음 단어의 우리말 뜻을 쓰고, 영어로 4번씩 반복해서 쓰세요.

1	2	3	4	5
lamp	lemon	letter	lily	line
램프, 등				
lamp				

6	7	8	9	10
rabbit	ring	river	robot	ruler

다음 단어의 우리말 뜻을 쓰고, 영어로 4번씩 반복해서 쓰세요.

1	2	3	4	5
watch	water	window	witch	wolf
시계				
watch				

6	7	8	9	10
yacht	yawn	yell	yellow	yogurt

다음 단어의 우리말 뜻을 쓰고, 영어로 4번씩 반복해서 쓰세요.

1	2	3	4	5
kangaroo	key	kick	king	box
캥거루				
kangaroo				

6	7	8	9	10
fox	queen	quiet	quilt	quiz

다음 단어의 우리말 뜻을 쓰고, 영어로 4번씩 반복해서 쓰세요.

1	2	3	4	5
candy	car	color	computer	cup
사탕				
candy				

6	7	8	9	10
cereal	cinema	circle	circus	city

다음 단어의 우리말 뜻을 쓰고, 영어로 4번씩 반복해서 쓰세요.

1	2	3	4	5
garden	girl	glass	goat	gorilla
정원				
garden				

6	7	8	9	10
gem	genius	giant	giraffe	gym

다음 단어의 우리말 뜻을 쓰고, 영어로 4번씩 반복해서 쓰세요.

1	2	3	4	5
bad	sad	dam	jam	fan
나쁜				
bad				

6	7	8	9	10
pan	cap	map	hand	sand

다음 단어의 우리말 뜻을 쓰고, 영어로 4번씩 반복해서 쓰세요.

1	2	3	4	5
web	bed	red	leg	hen
거미줄				
web				

6	7	8	9	10
ten	net	pet	wet	tell

다음 단어의 우리말 뜻을 쓰고, 영어로 4번씩 반복해서 쓰세요.

1	2	3	4	5
lid	kid	big	dig	pin
뚜껑				
lid				

6	7	8	9	10
win	hit	sit	fix	mix

다음 단어의 우리말 뜻을 쓰고, 영어로 4번씩 반복해서 쓰세요.

1	2	3	4	5
hop	mop	shop	stop	hot
깡충 뛰다				
hop				

6	7	8	9	10
pot	spot	lock	rock	sock

다음 단어의 우리말 뜻을 쓰고, 영어로 4번씩 반복해서 쓰세요.

1	2	3	4	5
bud	mud	bug	hug	rug
싹, 봉오리				
bud				

6	7	8	9	10
fun	run	cut	hut	nut

다음 단어의 우리말 뜻을 쓰고, 영어로 4번씩 반복해서 쓰세요.

1	2	3	4	5
cage	page	cake	lake	game
새장, 우리				
cage				

6	7	8	9	10
name	date	gate	cave	wave

다음 단어의 우리말 뜻을 쓰고, 영어로 4번씩 반복해서 쓰세요.

1	2	3	4	5
pie	tie	mice	rice	hide
파이				
pie				

6	7	8	9	10
ride	bike	hike	bite	kite

다음 단어의 우리말 뜻을 쓰고, 영어로 4번씩 반복해서 쓰세요.

1	2	3	4	5
cold	gold	hole	mole	hope
추운, 차가운				
cold				

6	7	8	9	10
rope	nose	rose	note	vote

다음 단어의 우리말 뜻을 쓰고, 영어로 4번씩 반복해서 쓰세요.

1	2	3	4	5
cube	tube	mule	rule	June
정육면체				
cube				

6	7	8	9	10
tune	cute	mute	flute	tulip

다음 단어의 우리말 뜻을 쓰고, 영어로 4번씩 반복해서 쓰세요.

1	2	3	4	5
bean	leaf	meat	peach	read
콩				
bean				

6	7	8	9	10
bee	feet	peel	seed	teeth

다음 단어의 우리말 뜻을 쓰고, 영어로 4번씩 반복해서 쓰세요.

1	2	3	4	5
nail	sail	tail	rain	train
못				
nail				

6	7	8	9	10
day	clay	play	stay	tray

다음 단어의 우리말 뜻을 쓰고, 영어로 4번씩 반복해서 쓰세요.

1	2	3	4	5
boat	coat	road	toad	soap
(작은) 배				
boat				

6	7	8	9	10
low	blow	slow	pillow	bowl

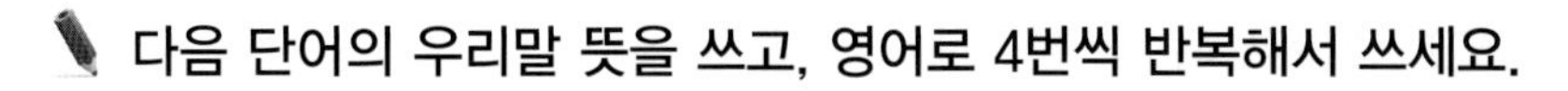
다음 단어의 우리말 뜻을 쓰고, 영어로 4번씩 반복해서 쓰세요.

1	2	3	4	5
count	blouse	house	mouse	mouth
(수를) 세다				
count				

6	7	8	9	10
cow	down	gown	brown	crowd

다음 단어의 우리말 뜻을 쓰고, 영어로 4번씩 반복해서 쓰세요.

1	2	3	4	5
boil	coil	soil	coin	point
삶다, 끓이다				
boil				

6	7	8	9	10
boy	soy	toy	joy	enjoy

다음 단어의 우리말 뜻을 쓰고, 영어로 4번씩 반복해서 쓰세요.

1	2	3	4	5
food	goose	pool	roof	school
음식				
food				

6	7	8	9	10
cook	foot	hood	look	wood

다음 단어의 우리말 뜻을 쓰고, 영어로 4번씩 반복해서 쓰세요.

1	2	3	4	5
blue	clue	glue	true	statue
파란(색)				
blue				

6	7	8	9	10
bruise	cruise	fruit	juice	suit

 다음 단어의 우리말 뜻을 쓰고, 영어로 4번씩 반복해서 쓰세요.

1	2	3	4	5
baker	farmer	ladder	bird	dirty
제빵사				
baker				

6	7	8	9	10
shirt	skirt	burn	hurt	turtle

다음 단어의 우리말 뜻을 쓰고, 영어로 4번씩 반복해서 쓰세요.

1	2	3	4	5
card	cart	park	smart	start
카드				
card				

6	7	8	9	10
corn	fork	forty	horn	short

다음 단어의 우리말 뜻을 쓰고, 영어로 4번씩 반복해서 쓰세요.

1	2	3	4	5
black	blanket	block	clap	clock
검은(색)				
black				

6	7	8	9	10
cloud	clown	flag	flour	flower

다음 단어의 우리말 뜻을 쓰고, 영어로 4번씩 반복해서 쓰세요.

1	2	3	4	5
glad	globe	glove	plane	plant
기쁜				
glad				

6	7	8	9	10
plate	plug	sled	sleep	slip

 다음 단어의 우리말 뜻을 쓰고, 영어로 4번씩 반복해서 쓰세요.

1	2	3	4	5
bread	brick	brush	crab	crayon
빵				
bread				

6	7	8	9	10
crown	cry	free	fresh	friend

다음 단어의 우리말 뜻을 쓰고, 영어로 4번씩 반복해서 쓰세요.

1	2	3	4	5
draw	dream	drink	drum	present
그리다				
draw				

6	7	8	9	10
pretty	prince	trash	tree	truck

다음 단어의 우리말 뜻을 쓰고, 영어로 4번씩 반복해서 쓰세요.

1 skate

스케이트를 타다

skate

2 skin

3 skip

4 small

5 smell

6 smile

7 smooth

8 snail

9 snake

10 snow

다음 단어의 우리말 뜻을 쓰고, 영어로 4번씩 반복해서 쓰세요.

1	2	3	4	5
spider	spill	spoon	stamp	stand
거미				
spider				

6	7	8	9	10
stone	strong	swan	sweep	swim

 다음 단어의 우리말 뜻을 쓰고, 영어로 4번씩 반복해서 쓰세요.

1	2	3	4	5
bend	find	kind	pond	wind
구부리다				
bend				

6	7	8	9	10
cent	hunt	mint	paint	want

다음 단어의 우리말 뜻을 쓰고, 영어로 4번씩 반복해서 쓰세요.

1	2	3	4	5
hang	long	sing	wing	young
걸다				
hang				

6	7	8	9	10
bank	skunk	thank	think	wink

다음 단어의 우리말 뜻을 쓰고, 영어로 4번씩 반복해서 쓰세요.

1	2	3	4	5
chair	chase	cheese	choose	church
의자				
chair				

6	7	8	9	10
shape	sheep	shine	ship	shut

다음 단어의 우리말 뜻을 쓰고, 영어로 4번씩 반복해서 쓰세요.

1	2	3	4	5
phone	photo	thick	thin	thirty
전화(기)				
phone				

6	7	8	9	10
three	whale	wheel	whisper	white

다음 단어의 우리말 뜻을 쓰고, 영어로 4번씩 반복해서 쓰세요.

1	2	3	4	5
climb	comb	bridge	edge	knife
오르다				
climb				

6	7	8	9	10
know	talk	walk	castle	listen

Memo

Memo

Memo

Longman